Aires

Rostro visible de la Argentina, la gran metrópoli hispanoamericana. En ella se acriollaron inmigrantes, gorriones, palmeras, poetas y pintores. Los viajeros la han tratado de distinta manera, hechizados por su elegancia y su carácter europeo, abrumados por su vertiginosa movilidad.
Conocerla es adentrarse en una compleja simbiosis cultural, de la cual el tango, el asado, el mate y el fútbol son apenas ilustres afluentes.

Beazley 3860, C 1437 HQH, Buenos Aires, Argentina.

Han colaborado:
GONZALO MONTERROSO (Investigación, texto
y coordinación general)
SEVILLA EQUIPO 28 / EQUIPO EDITORIAL EL PAÍS/AGUILAR
ESPAÑA (Diseño de colección)
SALVADOR GARGIULO (Texto y edición de texto)
MARCELO ROSENOW (Fotografía)
DEPARTAMENTO EDITORIAL DE SANTILLANA/ARGENTINA
(Archivo fotográfico)
MAZZONCINI DISEÑO (Armado)
2 MIL 1 PRODUCCIÓN EDITORIAL (Cartografía)

FERNANDO ESTEVES (Dirección editorial)

Nuestro agradecimiento a:
GOBIERNO DE LA CIUDAD DE BUENOS AIRES
SECRETARÍA DE TURISMO DE LA NACIÓN

ISBN: 950-511-559-8
Hecho el depósito que indica la ley 11.723

Impreso en Argentina
Primera edición: noviembre de 1999

Buenos Aires

MANEJO
de la guía

Símbolos de hoteles y restaurantes

Situación

- Centro o barrio céntrico
- Otros barrios

Instalaciones

- Nº de habitaciones
- Restaurante
- Bar
- Estacionamiento
- Garaje
- Piscina exterior
- Piscina climatizada
- Facilidades para discapacitados
- Se aceptan animales
- Establecimiento con un encanto especial

Habitaciones

- Calefacción
- Aire acondicionado
- Televisión color

Precios

- Habitación doble
- **Di** Desayuno Incluido
- **D** Desayuno
- **A** Almuerzo
- **C** Cena
- **PC** Pensión completa
- Tarifa especial niños
- $ Menos de 15 pesos
- $$ De 15 a 25 pesos
- $$$ De 25 a 40 pesos
- $$$$ Más de 40 pesos

Tarjetas

- **AE** American Express
- **DC** Diners Club
- **MC** Master Card
- **V** Visa
- **DTO** Descuento10% efectivo

Esta guía breve, concisa y de fácil manejo se divide en cuatro secciones:

▼ **Datos básicos.** Introducción, consejos para la preparación y desarrollo del viaje, información y referencias de contexto (historia, cifras y fechas, fiestas, gastronomía, entre otros detalles).

▼ **Esencial.** Selección recomendada de los puntos de interés más destacados. Comentario de cada lugar junto con toda la información indispensable para la visita.

▼ **Y además...** Otros lugares de interés, con unas líneas de comentario e información útiles.

▼ **Guía práctica.** Agenda selectiva con datos y orientaciones sobre hoteles, restaurantes y todas las posibilidades para disfrutar la estancia.

Un **plano** acompaña a la guía; se localizan en él de manera destacada, además de la información habitual, los principales puntos de interés.
El plano incluye un callejero urbano, listados de hoteles, de monumentos y otros servicios.

Otro símbolo utilizado.
A lo largo de la guía puede aparecer el siguiente signo convencional:

☛ Ver página...

Datos básicos

BUENOS AIRES

Consejos mínimos

Prefijos telefónicos

Código de país: 54

Cód. de ciudad: 011

▼ Época de la visita

Buenos Aires está siempre de temporada. Su oferta cultural y de esparcimiento la vuelven atractiva durante todo el año. El clima otorga la posibilidad de recorrerla al aire libre en cualquier época. En enero y febrero la ciudad se descongestiona sensiblemente. La concurrencia turística ha ido en aumento durante los últimos años.

▼ Cómo llegar

Buenos Aires es el principal centro de comunicaciones nacionales e internacionales de la Argentina.

● **En avión.** Los arribos del exterior se efectúan en el Aeropuerto de Ezeiza (30 km). Un servicio de ómnibus directo cubre el trayecto desde el Aeropuerto al Centro y al Aeroparque, terminal de los vuelos domésticos y al Uruguay.

◗ Aerolíneas Argentinas
Tel.: 4340.7800

◗ Aeropuerto de Ezeiza
Tel.: 4480.6111

◗ Aeroparque Jorge Newbery
Tel.: 4576.5300

● **En tren.** No existen servicios de trenes internacionales. Desde Buenos Aires circulan trenes a Rosario, Tucumán, Bahía Blanca y Mar del Plata.

◗ Estación Retiro
Tel.: 4317.4407

◗ Estación Plaza Constitución
Tel.: 4959.0782

En barco. Hay servicio fluvial a Uruguay: trasbordadores a Colonia y Montevideo desde Dársena Norte (Centro) y lanchas de pasajeros desde Tigre (30 km). Pueden estar completos durante el verano, en Semana Santa y feriados largos. No hay servicio de barcos al Paraguay ni a los puertos patagónicos. Cada vez más cruceros de turismo hacen escala en Buenos Aires.

◗ Terminal Fluvial Dársena Norte
Tel.: 4316.6411

◗ Información Terminal de Tigre
Tel.: 4512.4497 - 4512.4498

● **En autobús.** Numerosos servicios rápidos y confortables operan desde la Terminal de Retiro (Centro) uniendo Buenos Aires con las principales ciudades argentinas. Se prestan servicios directos a países limítrofes y Perú.

◗ Terminal de Ómnibus de Retiro
Tel.: 4310.0700 - 4310.0770

● **En coche.** La red caminera de la Argentina fue trazada a partir de Buenos Aires. Varias rutas troncales son de peaje. La autopista Panamericana conduce a la ciudad desde el norte y es por peaje (para llegar al Centro seguir la leyenda "Avda.Lugones"). Frecuentes

Distancias a Buenos Aires por carretera

Bahía Blanca	*690 km*
Córdoba	*705 km*
S. Salvador de Jujuy	*1534 km*
La Quiaca	*1825 km*
Mar del Plata	*410 km*
Mendoza	*1100 km*
Neuquén	*1221 km*
Puerto Iguazú	*1220 km*
Puerto Madryn	*1382 km*
Resistencia	*1015 km*
Río Gallegos	*2655 km*
Rosario	*300 km*
Salta	*1505 km*
S. C. de Bariloche	*1647 km*
S. M. de Tucumán	*1194 km*
Ushuaia	*3251 km*

bancos de niebla reducen la visibilidad.

◗ Automóvil Club Argentino Tel.: 4802.6061

De entrada

La unidad monetaria argentina es el peso, pero la economía se encuentra dolarizada. La equivalencia peso-dólar está asegurada por ley. La compra de divisas es libre en bancos y casas de cambio. Los comercios pueden aceptar indistintamente pesos y dólares según la paridad vigente. El pago en efectivo suele resultar 10% más barato que con tarjeta. Hay que proveerse de monedas para viajar en colectivo. La zona turística de Buenos Aires se corresponde con un corredor que, desde el Centro (Obelisco, Plaza de Mayo), se desplaza en dirección al límite sur de la ciudad (San Telmo, La Boca y el Riachuelo), hacia el oeste (eje de la Avenida de Mayo) o bien hacia el norte (La Recoleta, Palermo), extendiéndose hasta la ribera suburbana (San Isidro y Tigre). Es muy fácil orientarse en Buenos Aires. Las calles se entrecruzan formando una cuadrícula y las cuadras de una misma calle se numeran por centenas. La red de subterráneos (subte) es lo más rápido y económico para moverse en el Centro, pero es asfixiante en verano. Una misma ficha (cospel) es válida para todas las líneas y conexiones. Para trayectos más largos se puede utilizar el transporte público. El Centro se comunica con los barrios y la periferia a través del tren. Las cinco terminales ferroviarias céntricas están unidas por el subte. Una extensa red de autobuses (colectivos)

Consejos mínimos

vincula los barrios y las estaciones suburbanas entre sí. Durante la noche funcionan con horario incierto. Los colectivos diferenciales son más caros y se identifican con la letra D. Los taxis circulan día y noche; se paga lo que indica el medidor, pero no siempre tienen cambio. Los porteños desconfían de los taxis que aguardan en terminales y aeropuertos. Para viajes entre barrios, el remís se ha vuelto más popular; se lo solicita por teléfono y su precio se conoce de antemano; pedido en los hoteles, resulta más caro. Hay que caminar con precaución en las angostas veredas del Centro. Se debe prestar atención al cruzar la calle, aun existiendo prioridad de paso: al peatón le asisten menos derechos que a los vehículos. No existen sanitarios públicos; los bares facilitan los suyos a los clientes. Los perros están autorizados por sus dueños a ensuciar las veredas. Éstas suelen ser desparejas y resultan resbaladizas en días de humedad o de lluvia. Como en toda gran ciudad, no conviene circular en coche por el Centro en las horas pico. Las normas de seguridad no se cumplen estrictamente, o se ignoran. En la permisiva Buenos Aires siempre hay lugar para interpretaciones personales en materia de conducir vehículos, cruzar la calle o respetar las horas de descanso. De allí que la Reina del Plata resulte tan apropiada para hacer lo que se quiere y tan irritante para soportar lo que quieren hacer los demás. Horarios y recesos de iglesias y museos son disímiles y cambiantes; en verano conviene informarse previamente.

◗ Información turística
Tel.: 4372.3612

▼ Alojamiento (☛ 92)

Buenos Aires cuenta con más de 80.000 plazas hoteleras, 15.000 de las cuales corresponden a hoteles de cinco y cuatro estrellas. Hay 50.000 hospedajes sin categorizar. La principal oferta de alojamiento está en el Centro pero tiende a crecer en los barrios. Los precios bajan al cruzar la avda. 9 de Julio hacia el Oeste, y al sur de Avda. de Mayo. Por el mismo precio que un tres o cuatro estrellas del Centro es posible alojarse a orillas del río en los incomparables residenciales del Delta. Unas 60 estancias cercanas a la ciudad ofrecen comodidades para pernoctar o pasar el día. El "hotel alojamiento" no es de clase turística; funciona por horas y sólo para parejas.

▼ Comer y beber (☛ 98)

La gran oferta gastronómica de Buenos Aires reúne todos los niveles de calidad y precio. Se han difundido los restaurantes y parrillas de tenedor libre, con variedad de platos y precios más económicos. Hay sándwiches y tartas en los bares céntricos. No hay que dejar de probar los helados. El buen vino argentino está reservado al restaurante, pocas veces a los bares. El café no siempre es de buena cepa, pero bajo su advocación se ampara un rito porteño ineludible: el "salir a tomar algo". Muchas confiterías permanecen abiertas hasta la madrugada. Las confiterías de La Recoleta y avda. Santa Fe son escenarios donde mostrarse y apreciar la belleza de la mujer porteña. En algunos *bolichones* todavía se estila el aperitivo con ingredientes (picada) o la copa de vino de la casa. Es usual dejar el 10% de propina.

▼ Compras (☛ 106)

Florida es la calle peatonal turística, con galerías, tiendas de ropa y de regalos. Artículos de cuero, *souvenirs* y artesanías típicas (platería criolla, piedras) se consiguen en torno de las calles Florida y Paraguay. La avenida Santa Fe es la gran vía comercial de la ciudad, con 50 cuadras de negocios y galerías comerciales abigarradas de boutiques de moda clásica e informal, calzado, perfumerías y *bijouterie*. El Once es el barrio de venta barata y moda económica (alrededor de Lavalle y Tucumán). En San Telmo se concentran los anticuarios. Hay varios shoppings cerca del Centro. Los amantes de la lectura cuentan con librerías de novedades y libros usados, sobre todo en avda. Corrientes y en Avda. de Mayo. Durante el fin de semana hay ferias de artesanías en varias plazas y parques (la más frecuentada es la de La Recoleta). En los quioscos de Florida, avda. Corrientes y Plaza San Martín se consiguen diarios y revistas extranjeros.

▼ Medios de comunicación

Clarín y *La Nación* son los diarios de mayor circulación. El viernes publican la guía semanal de salidas y la cartelera de espectáculos. El domingo editan suplementos de cultura. Revistas y diarios se compran en los *quioscos*. La Hemeroteca de la Biblioteca Nacional cuenta con sala de lectura informal de diarios y revistas. La revista *Weekend* (mensual) incluye una agenda de servicios de pesca, camping, *trekking* y miniturismo en todo el país. Hay radios FM que emiten exclusivamente música clásica, tango y otros ritmos.

BUENOS AIRES
Referencias

El área metropolitana de Buenos Aires alberga un tercio de la población del país y es la octava ciudad más poblada del mundo. Los suburbios no poseen encanto turístico. El crecimiento caótico consolidó un gran conglomerado híbrido y anónimo, sin bellezas naturales ni áreas verdes fuera del Parque Pereyra Iraola. En la trama tentacular de esta pampa gris se esconden algunos oasis residenciales y barrios mejor tratados, entre los que sobresalen el corredor dormitorio de la ribera norte.

▼ Algunas cifras

Buenos Aires	
Población	*3.050.000 hab.*
Superficie	*200 km²*
Latitud	*34° 36′ 58″ S*
Longitud	*58° 23′ 34″ O*
Altitud	*15 metros.*

Gran Buenos Aires	
Población	*9.102.000 hab.*
Superficie	*3.680 km²*

● **La ciudad** de Buenos Aires es la capital de la Argentina. Desde 1996 elige su propio Jefe de Gobierno. Los porteños la siguen llamando Capital Federal debido a su antiguo *status*, cuando la elección del intendente estaba a cargo del gobierno nacional. Éste tiene su sede en la ciudad. A la población estable hay que sumar otros tres millones de personas que circulan a diario por sus calles. Diez millones de turistas la visitan cada año.

▼ Clima

Templado y agradable. Invierno moderado y soleado. Verano tórrido.

● ***Temperaturas:*** *la media invernal es de 12°(junio); la media estival, de 24°(enero). Temperaturas raramente inferiores a 0°. Los picos de calor superan los 35°. La media anual es de 18,5°.*

● ***El tiempo y las estaciones:*** *llueven 1000 mm anuales. Lluvias y días nublados se distribuyen parejos a lo largo del año (el verano es más lluvioso). La humedad puede ocasionar días bochornosos, sobre todo en verano. Cinco días consecutivos sin sol en Buenos Aires pueden ser noticia de tapa en los diarios.*

Buenos Aires hoy

Los porteños amanecen con las noticias de los diarios, pero necesitan de la radio para confirmarlas. Si bien todos gozan del beneficio de asomarse a una ventana o a un balcón, el nativo típico espera a que le informen si debe salir a la calle con bufanda o paraguas. Descontentos del frío y del calor, los porteños crearon la "sensación térmica", guarismo que denuncia las molestias del tiempo, aun cuando los datos climáticos prueban que la ciudad hace honor a su nombre. Además del clima, en el ecosistema de Buenos Aires influyen los porteños, sus épicos coches y colectivos productores de gases tóxicos, bocinazos y accidentes, sus insuficientes espacios verdes y sus inmensas superficies pavimentadas.
Se culpa a Buenos Aires de carecer de naturaleza y de paisaje. La ciudad lo compensa con sus calles y paseos arbolados. Orgullosa de su nivel de ruidos, Buenos Aires se autoproclama "la ciudad que no duerme". En esta tierra propicia para la neurosis, el psicoanálisis es un hábito tan asumido como el cine, el teatro o la buena lectura.

En razón de la enorme extensión del área metropolitana, muchos porteños emplean varias horas para acudir a sus trabajos viajando al Centro en trenes y colectivos. El fin de semana los encuentra atrapados en su ciudad interminable. Los más pudientes escapan a los *countries*; otros ensayan el asado en recreos o tienden un mantelito al borde de las autopistas parquizadas. La mayoría se queda en su casa para cultivar programas familiares o simplemente para efectuar tareas caseras y dormir un poco más. Los barrios son un sinfín de poblaciones autosuficientes: verdaderas ciudades dentro de la ciudad, o bien territorios apacibles sin vocación de metrópoli, donde el anonimato cede lugar a los encuentros amigables. No es difícil entrar en relación con los porteños y hasta ser invitado a sus hogares. Prontamente querrán saber qué opina el visitante acerca de la ciudad. Borges la recomendaba a sus amigos, pero con reparos: "Es una ciudad demasiado gris, demasiado grande, triste –les digo–, pero eso lo hago porque me parece que los otros no tienen derecho a que les guste".

Referencias

Fiestas

Buenos Aires no tiene fiestas populares, excepto las debidas al fútbol, deporte que contribuyó a definir la personalidad de los barrios. El choque entre rivales tradicionales (principalmente Boca–River) resulta siempre un espectáculo sumamente colorido. El porteño festeja los feriados patrióticos o religiosos huyendo de la ciudad o descansando. Los feriados se trasladan al lunes con el único fin de fomentar el turismo. Los ritos devocionales colectivos más destacados por su fervorosa concurrencia son las procesiones a pie a la Basílica de Luján y los ruegos a San Cayetano. En vísperas del 7 de agosto, los promesantes acuden a este santuario para pedir por pan y trabajo (algunos acampan en las calles cercanas). El Día de los Muertos se recuerda con ofrendas florales en todos los cementerios. La celebración de Navidad no es más que una reunión familiar en torno de la cena, la bebida y los regalos. La llegada del Año Nuevo se festeja entre amigos, provocando un gran estruendo de pirotecnia en la ciudad. Durante el último día laborable del año, es tradicional la suelta de papelitos a la calle desde las oficinas céntricas. El carnaval ha desaparecido de las calles porteñas; subsisten al margen algunas murgas barriales.

Gastronomía y asado

La cocina porteña es italiana y española, con toques franceses. Conviven en el menú, pescados, bifes, milanesas, pollos y pastas. La carne argentina es sana y sabrosa. Asada o al horno es la base culinaria porteña. Coexisten la comida práctica y sencilla junto a la cocina europea originada en la inmigración y matizada de sabor local. El asado es mucho más que cocinar carne a la parrilla o al asador, es una verdadera pasión gastronómica determinada por la destreza del asador, la calidad de los cortes y achuras (entrañas), la forma de hacer el fuego y de repartir las brasas para lograr una cocción adecuada y pareja. El porteño prefiere la carne a punto (cocida y con jugo claro) o jugosa, no sangrante. Se comienza con los embutidos (chorizo y morcilla); siguen los cortes de carne: el asado de tira (costillar), el bife de chorizo y el vacío. Las achuras son manjares culinarios para el nativo: chinchulín (intestino delgado del vacuno), mollejas

(amígdalas), riñones. La carne se condimenta a gusto con *chimichurri* y se acompaña con ensaladas o papas fritas. Pizzas y empanadas constituyen la muletilla gastronómica del porteño, ya sea como comida rápida en las innumerables pizzerías de la ciudad, o en toda reunión donde se desea saciar el hambre a bajo costo y sin complicaciones culinarias. La pizza porteña se come con la mano y de *dorapa* (de pie). Las pastas son siempre de fabricación casera. Se consumen en los restaurantes y se venden en las "fábricas de pastas", elaboradas en el día y listas para cocinar. Los postres tradicionales son el vigilante (queso "fresco" y dulce de membrillo), panqueques, ensalada de frutas, flan y copas heladas. Los buenos vinos argentinos se producen en las bodegas de San Juan, Mendoza, La Rioja y Salta. También pueden degustarse las comidas típicas regionales: empanadas de carne y humita (pasta de choclo), locro (guiso rústico y sabroso), tamales (harina de maíz y carne o queso envueltos en hoja de maíz), quesillos y dulces. En los quioscos se ofrece una gran variedad de alfajores, pequeños emparedados de galletas rellenos con el tradicional dulce de leche. Las golosinas callejeras son los maníes y almendras almibarados (*garrapiñadas*).

▼ Modismos locales

Altura: numeración de la calle.
Berreta: de calidad inferior.
Boludo: tratamiento coloquial; entre desconocidos es un insulto.
Cana: agente de policía.
Coger: copular, hacer el amor.
Copado: aprobado con entusiasmo.
Cuadra: largo de una manzana.
Curro: provecho obtenido con trampa.
Curtir: practicar un hábito con placer. Acostarse con alguien.
Chanta: poco serio.
Choto: de aspecto vulgar.
Embole: aburrimiento.
Fiaca: pereza.
Gauchada: favor desinteresado.
Guita: plata.
Joder: molestar, bromear.
Macanudo: buena persona.
Manzana: bloque de edificios delimitado por calles públicas.
Mina: mujer joven.
Minuta: comida semipreparada.
Mona: mujer bonita.
Mozo: persona que atiende la mesa en un bar o restaurante (el femenino es *señorita*).
Picada: tentempié.
Pieza: habitación.
Pucho, faso: cigarrillo.
Quilombo: desorganización.
Sanata: macaneo verbal.
Tacho: taxi.
Tomar: coger. Subir al colectivo, emprender un rumbo.
Trucho: apócrifo, falsificado.
Verso: argumento no convincente.
Zafar: quedar exento.

Buenos Aires
Cronología

1536

● Don Pedro de Mendoza funda Santa María de los Buenos Aires en sitio no bien determinado.

1541

● El fracaso de la primera Buenos Aires determina su destrucción.

1580

● Juan de Garay funda la verdadera Ciudad de la Santísima Trinidad y Puerto de Santa María del Buen Ayre en la actual Plaza de Mayo.

1617

● Se designa a Buenos Aires capital de la Gobernación del Río de la Plata, territorio que abarcaba desde Misiones hasta Tierra del Fuego.

1620

● Primer obispo de Buenos Aires.

1767

● Expulsión de los jesuitas. Hacia 1770 Buenos Aires tenía 22.000 habitantes (4.200 eran esclavos negros y mulatos).

1776

● Se crea el Virreinato del Río de la Plata con capital en Buenos Aires.

1806-1807

● Los criollos derrotan a los invasores ingleses en las calles de Buenos Aires.

1810

● El Cabildo de Buenos Aires es el epicentro de la Revolución de Mayo, que expresó el deseo más o menos popular de independizarse de España. La independencia fue proclamada en 1816 en Tucumán.

1822

● Primeras calles empedradas de Buenos Aires. La población de la ciudad se estima en 40.000 habitantes.

1852

● La provincia de Buenos Aires se separa de la Confederación Argentina como Estado soberano. Hasta 1860, los presidentes argentinos gobernaron desde la ciudad de Paraná (Entre Ríos).

1854

● Se sanciona la ley que crea la Municipalidad de la Ciudad de Buenos Aires.

1855

● Se funda el pueblo de Belgrano.

1857

● Inauguración del primer ferrocarril porteño y argentino.

1858

● Primeras calles iluminadas a gas.

1870

● Circulan los primeros tranvías tirados por caballos.

1871

● La gran epidemia de fiebre amarilla impulsa el crecimiento de la ciudad hacia el norte.

1880

● La ciudad poscolonial comienza a modernizarse. Gran oleada de inmigrantes europeos.

1882

● Fundación de la ciudad de La Plata, que reemplaza a Buenos Aires como capital provincial.

1887

● Los partidos de Belgrano y Flores se anexan a Buenos Aires, declarada capital nacional.

1889

● La federalización de Buenos Aires disparó su crecimiento edilicio. Se inaugura el primer alumbrado público y se inicia el trazado de la Avenida de Mayo.

1892

● Circula el primer automóvil por las calles de Buenos Aires.

1897

● Primer tranvía eléctrico. Los tranvías a caballo dejaron de circular hacia 1910.

1899

● Jorge Luis Borges nace en Buenos Aires. La población de la ciudad era de 800.000 habitantes.

1908

● Se inaugura el Teatro Colón.

1910

● Festejos del centenario de la Revolución de Mayo. La población de Buenos Aires era de 1.223.000 personas; una de cada dos no hablaba castellano o lo hacía con evidente acento extranjero.

1913

● Inauguración de la primera línea de subterráneos.

1928

● La crisis económica alcanza a los taxis desocupados, que comienzan a transportar pasajeros con recorrido fijo. De esta manera quedó "inventado" el colectivo porteño.

1934

● El dirigible Graf Zeppelin aterriza en Buenos Aires.

1936

● Inauguración del Obelisco. Apertura de las primeras cuadras de la avda. 9 de Julio, que los porteños consideran la más ancha del mundo (y entonces era también la más corta). Velatorio de Carlos Gardel en el Luna Park.

1994

● Buenos Aires deja de ser la Capital Federal. La Constitución de 1994 le otorga el *status* de Ciudad Autónoma. En 1996 elige el primer jefe de gobierno.

Buenos Aires
Hitos y mitos

El clima y la fe
Una leyenda profana asegura que el cuñado de Pedro de Mendoza saltó a tierra desde su barco y exclamó: "¡Qué buenos aires son los de este suelo!". Y sin más se dio por elegido el sitio de fundación. Versiones menos épicas sostienen que la ciudad adoptó el nombre de la Virgen del Buen Aire, muy venerada en Cerdeña y llevada al Plata por la misma expedición. Sea como fuere, el nombre de Buenos Aires fue lo único que quedó del fuerte de Mendoza. La ciudad real debió esperar a 1580, cuando Juan de Garay confirmó los buenos aires y se detuvo para trazar la Ciudad de la Trinidad.

La capital nacional
Buenos Aires fue fundada como balcón trasero del Virreinato del Perú, cuyo puerto era Lima. El rey prohibió el comercio con otros puertos y Buenos Aires se vio forzada a vivir del contrabando. Tras las guerras por la independencia (1810-1820) y las disputas interprovinciales (1820-1850) sobrevino el período de la organización y unificación nacional (1850-1880). Durante 70 años el país no tuvo capital, aunque Buenos Aires fue de hecho capital provincial, aduanera y diplomática. Recién en 1887 se establece la capital federal en la ciudad de Buenos Aires.

Ingleses y porteños
Las Invasiones Inglesas de 1806-1807 fueron fallidos intentos de apoderarse de las colonias rioplatenses. Aunque derrotados en la calle por los criollos, los ingleses jamás abandonaron la orilla cisplatina. Su primer negocio fue la piratería; luego, la trata de esclavos. Más tarde la banca, los ferrocarriles y el puerto; fueron pioneros del saladero de carnes. Ciertos porteños efectuaban sus compras en las tiendas Harrods y solían poner en hora su reloj guiándose por el reloj de la Torre de los Ingleses. El Bar Británico, la porcelana inglesa, el fútbol, el polo y el sándwich perduran, con signos distintos, en el gusto porteño.

El tren fúnebre
La epidemia de fiebre amarilla que se abatió sobre Buenos Aires en 1871 causó 20.000 muertos y modificó las preferencias barriales de los porteños, que se sintieron más seguros en la periferia de quintas, origen de los distritos más residenciales. Debido a que el enterratorio de las víctimas se encontraba muy apartado de la ciudad (actual cementerio de La Chacarita), se dispuso construir un tren para transportar ataúdes y deudos. El ingeniero que lo puso en marcha murió contagiado por el mismo mal. El Tren de la Muerte dejó de circular en el año 1888.

Porteños sin puerto

Aunque el nombre de la ciudad y el de sus habitantes –porteños– derivan del puerto, Buenos Aires tardó tres siglos en construirlo. Mientras las rentas portuarias encendían las luchas políticas argentinas, los viajeros quedaban sorprendidos por el espectáculo del desembarco, "bastante para pasmar a un extranjero y hacerle dudar de si verdaderamente arriba a un país cristiano", rezongaba el cónsul británico Woodbine Parish. Malaspina lo califica de "extraordinario desembarco", ya que "se toma tierra en hombros de marineros". D'Orbigny, entusiasmado por la concurrencia de lavanderas y barquichuelos, proclama su "entrada triunfal en Buenos Aires". Pinturas y litografías retrataron aquella maniobra de carretas anfibias de altísimas ruedas que se metían en el agua para recoger a los pasajeros recién llegados.

Gringos y porteños

El Buenos Aires del siglo XIX es un producto urbano emergente de dos especies migratorias: europeos que llegaron para quedarse y porteños que gustaban pasar largas temporadas en Europa. Hubo trabajo para todos y dinero para modelar una gran aldea, transformándola en gran metrópoli. La ciudad creció de golpe a partir de 1880, impulsada por su condición de puerto y aduana. El ferrocarril puso a su servicio el campo más rico del mundo. La prosperidad agropecuaria y la revolución industrial aportaron modernidad con obras hechas para durar. El primer intendente, Torcuato de Alvear, demolió los vestigios coloniales y trazó bulevares hacia la pampa. Desde entonces, la ciudad crece biológicamente, incluso hacia el río, sin límites ni planificación.

BUENOS AIRES
Hitos y mitos

Tango

Pocas ciudades del mundo pueden exhibir una música propia como Buenos Aires. Primitivamente, el tango no era música popular sino marginal. Nace hacia 1880 como síntesis de la música criolla (milongas y payadas), el candombe negro y las canciones nostálgicas que entonaban los inmigrantes. Tales componentes sólo podían mezclarse naturalmente en el arrabal, en los burdeles y en el ambiente portuario de La Boca. De allí pasó al patio del conventillo y al teatro popular (sainete), con sus letras algo obscenas. Su origen prostibulario lo mantuvo alejado de la clase alta. Hacia 1910, los cabarets acercaron el tango al Centro. Impulsado por su éxito en París, el tango emerge de la clandestinidad; alcanza los salones aristocráticos y se profesionaliza con Carlos Gardel. El disco y la radio difundieron las primeras "orquestas típicas". En ellas predomina el bandoneón, especie de acordeón que llegó al país como *Band-Union*. Orquestas y poetas dieron al tango el rango de género musical. Astor Piazzolla lo introdujo en el clasicismo. Al asumir su condición de "canción ciudadana", el tango evolucionó de lo festivo a lo sentimental, exaltando en el baile lo procaz y sensual que supo ganar en el cabaret. Se ha dicho que el tango es un pensamiento triste que se baila. Primero se bailó entre hombres, en veredas y mercados. Las mujeres que se atrevieron a los compadritos del conventillo terminaron ganando su derecho al baile. Los tangueros avezados suelen diferenciar entre *tango–show* y *tango de salón*. El primero, crispado y acrobático, es visto con sorna por los ortodoxos, que resueltamente se refieren al tango de salón –más moroso y acaramelado– como el auténtico. Tras décadas de oscurantismo, el tango renace de su letargo porteño como música, poesía y danza, contagiando a nativos y extranjeros. Pocos comprenden la letra, porque el tango se vale del lunfardo, argot porteño impregnado de la babel lingüística inmigratoria.

PERSONAJES

Carlos Gardel *(1887-1935). Figura mítica de la música ciudadana. Nació en Toulouse (Francia). Otras versiones aseguran su origen uruguayo. Llegó a Buenos Aires en 1893 y el Abasto fue su barrio. En 1930 graba* Buenos Aires la reina del Plata, *cuya letra concluye con el compromiso "antes morir que olvidarte". Murió en un accidente aéreo en Medellín (Colombia). Para los porteños, Gardel cada día canta mejor.*

Jorge Luis Borges *(1899-1986). Uno de los mayores escritores del siglo XX. Se crió en el Palermo suburbano, rodeado de libros ingleses. Siendo director de la Biblioteca Nacional, Perón se dio el gusto de echarlo, nombrándolo irónicamente inspector de aves de corral. Escribió sus obras maestras mientras iba quedándose ciego. De Buenos Aires prefirió sus arrabales. Escribió: "Esta ciudad que yo creí mi pasado, es mi porvenir, mi presente; los años que he vivido en Europa son ilusorios, yo estaba siempre (y estaré) en Buenos Aires". Murió en Ginebra y allí fue sepultado.*

VIAJEROS

Sir Richard Francis Burton. *Orientalista y diplomático inglés (1868). "De los miles de lugares que se acumulan en los archivos de mi memoria no hay ninguno que recuerde con mayor predilección que la capital del Plata."*

Le Corbusier. *Arquitecto suizo que diseñó un plan urbano para la ciudad (1929). "Buenos Aires, pura creación del espíritu; block inmenso elevado por el hombre en el agua del río y de pie frente al cielo de la Argentina."*

Federico García Lorca. *Poeta y dramaturgo andaluz (1934). "Buenos Aires tiene algo vivo y personal; algo lleno de dramático latido, algo inconfundible y original en medio de sus mil razas, que atrae al viajero y lo fascina."*

Georges Clemenceau. *Estadista francés (1910). "Lo picante de Buenos Aires es presentar, bajo velos de Europa, un argentinismo desatinado."*

Paul Theroux. *Periodista y escritor (1979). "Buenos Aires era una hermosa ciudad para pasear y, mientras paseaba, pensaba que sería una hermosa ciudad para vivir."*

Consejos de ruta

▼ Buenos Aires en 1 día

El *city tour* es aconsejable como paliativo de una permanencia muy breve en la ciudad, pero Buenos Aires se presta para caminar y descubrir por cuenta propia. El paseo turístico tradicional abarca Plaza de Mayo (☛ 38), las iglesias del Barrio Sur (☛ 34), San Telmo (☛ 30), La Boca (☛ 26), La Recoleta (☛ 57), Puerto Madero (☛ 66) y Palermo (☛ 62). Cualquier sitio es apropiado para un paseo más distendido y con escalas gastronómicas. Por la tarde hay que visitar Tigre (☛ 72) y dar un breve paseo por el Delta del Paraná (☛ 75). Lo aconsejable es subirse al Tren de la Costa (☛ 69), que recorre la pintoresca Ribera Norte. La noche porteña cuenta con múltiples atractivos: caminar por alguna calle animada, beber o cenar en cualquiera de los numerosos lugares que permanecen abiertos hasta muy tarde. No hay que abandonar Buenos Aires sin haber concurrido a algún espectáculo de tango.

▼ Buenos Aires en 2 días

Se sugiere improvisar paseos y programas temáticos con criterio más informal. Visitar barrios elegantes próximos al Centro (La Recoleta, Palermo Chico, Barrio Norte) y enseguida marchar a confrontarlos con los más populares y no menos céntricos de La Boca, San Telmo y Barracas (☛ 80) ayuda a destacar los contrastes ciudadanos. Los paseos de arquitectura más interesantes en el Centro son la Avenida de Mayo (☛ 42) y la Ruta de los Palacios a partir de Plaza San Martin (☛ 53). En materia de apetencias culturales, conviene darse una vuelta por la boletería del Teatro Colón (☛ 52), recorrer la avenida Corrientes (☛ 46) y echar un vistazo a la cartelera del Centro Cultural San Martín, de los numerosos teatros y del Museo Nacional de Bellas Artes (☛ 78). Museos y galerías de arte exhiben desde las grandes escuelas artísticas hasta las vanguardias y los motivos locales y regionales, sin desatender otras especialidades. El barrio de Palermo Viejo (☛ 65) se presta para una caminata vespertina relevando pasajes, casas típicas recicladas, tiendas exóticas y talleres de regalos, para recalar en los bares al caer la tarde y luego cenar sin estridencias. El Parque de Palermo (☛ 62) y la ruta de Tigre completan dos días bien aprovechados. Si la idea es abandonar Buenos Aires, las opciones son el día de campo o la escapada a Colonia (☛ 88). Para conocer el Delta del Paraná basta con tomar una lancha colectiva en el puerto de Tigre.

▼ Paseos de arquitectura

El eclecticismo arquitectónico de Buenos Aires contrasta con el trazado urbano regular y con las limitaciones paisajísticas pampeanas. El escenario callejero conjuga todos los estilos y tendencias que la joven capital, rica y animada por una inmigración emprendedora y diversa, se permitió aceptar como expresión de su creciente vocación de modernidad. A este patrimonio, Buenos Aires suma la arquitectura de última generación y la restauración de edificios para nuevas exigencias. La ciudad no se presta a trazar itinerarios fijos; se sugiere efectuar los paseos caminando y levantando la vista.

● ***Avenida de Mayo*** (☛ 42). En todo su recorrido (☛ 36).

● ***Palacios de la belle époque porteña y primeros rascacielos.*** Desde Plaza San Martín (☛ 53) por calle Arroyo, Plaza Pellegrini, avda. Alvear hasta La Recoleta (☛ 57).

● ***Avda. Leandro N. Alem*** (☛ 50), entre calle Viamonte y Plaza de Mayo; caminando por la vereda Este para observar los frentes y soportales, situados al Oeste.

● ***La Boca*** (☛ 26). Casas típicas en torno de Plaza Solís, Caminito, calles Lamadrid, Melo, Garibaldi y la ribera del Riachuelo.

● ***San Telmo*** (☛ 30). Desde Plaza de Mayo, por calles Balcarce y Defensa hasta Parque Lezama; cuadras de avda. Caseros al 400 y Bolívar al 1500.

● ***Palermo*** (☛ 62). Departamentos modernos, de estilo francés y racionalistas, entre avenidas del Libertador, Coronel Díaz, Las Heras y calle República de la India. En Palermo Chico se pueden admirar residencias de gran calidad arquitectónica.

● ***Belgrano R*** (☛ 81). Mansiones y jardines entre las calles Naón, La Pampa, Conde y Olazábal.

En avenidas y barrios de alta densidad poblacional, la tipología dominante es la vivienda en propiedad horizontal, caracterizada por sus balcones multiuso (solario, observatorio, macetero y desván). Calles y paseos de Buenos Aires sorprenden por sus arboledas. En Barrio Norte, Palermo y Belgrano, las tipas alcanzan la altura de los edificios, creando verdaderos túneles vegetales. El jacarandá y el palo borracho presentan una brillante floración en primavera y verano. Los vigorosos gomeros crecen en las plazas San Martín, Lavalle y en La Recoleta.

BUENOS AIRES
Consejos de ruta

Fin de semana

Durante el fin de semana, el Centro queda poco menos que despoblado y la diversión se concentra en polos estratégicos bien determinados: Callao y Santa Fe, la zona tanguera de San Telmo, la zona de los cines (Lavalle, avda. Corrientes), además de los tradicionales barrios y reductos gastronómicos (☛ 98). La movida de los bares y discotecas empieza poco antes de medianoche. Sobresalen Puerto Madero, Costanera Norte, La Recoleta, los Puentes de Palermo, Palermo Viejo y la norteña Avenida del Libertador. Mientras muchos porteños escapan a sus clubes privados, varios parques y rincones de la ciudad se animan con espectáculos y ferias al aire libre. San Telmo, La Recoleta, La Boca, el Tren de la Costa, Tigre y el parque de Palermo son los lugares más concurridos. Para aprovechar el domingo desde temprano hay varias recetas: paseo en el Tren Histórico con almuerzo de campo, visita a la isla Martín García (☛ 76) o al pueblo gauchesco de San Antonio de Areco (☛ 88). En la ciudad de La Plata se visita el Museo (☛ 79), el Zoológico y la República de los Niños. La excursión a Luján (☛ 88) puede extenderse hasta el pueblito de Tomás Jofré, donde los antiguos almacenes de campo sirven comida casera. La escapada a Colonia (☛ 88) es inexcusable para reencontrarse con la atmósfera del pasado. Un paseo dominical sin salir de la ciudad puede incluir la vuelta en el tranvía histórico, la visita a la Feria de Mataderos o una caminata barrial. Desde La Boca es fácil extender el paseo hasta Barracas (☛ 80). Desde el Zoológico, unas pocas cuadras conducen hasta el barrio de Palermo Viejo (☛ 65). Las agencias locales proponen paseos organizados: Tren de la Costa, Tigre, recorridos por el Delta y día completo en estancias. Los paseos temáticos incluyen sitios de tango, turismo gourmet (carnes y vinos), visitas al Mercado de Hacienda y al Mercado Central de alimentos y productos regionales. Guías especializados ofrecen caminatas barriales, literarias (ruta borgeana) y ecológicas. El Gobierno de la Ciudad organiza visitas a iglesias, barrios y monumentos. Cerca de la región metropolitana es posible realizar paseos en bicicleta, vuelos de bautismo, observación de fauna, ecoturismo, salidas náuticas y de pesca.

Paseos en colectivo

El colectivo es un clásico porteño. Se abre camino a fuerza de bocinazos y frenadas bruscas, domina la calle con prepotencia y llega hasta la periferia con sorprendente vitalidad. Más de 150 líneas operan en la ciudad. El boleto se adquiere al subir y se paga con monedas en la máquina expendedora. El número de línea no es suficiente indicación para desplazarse fuera del Centro. Muchas líneas multiplican sus ramales y no faltan algunas que circulan con números cambiados. En muchos casos, las paradas no son más que chapas clavadas en los árboles o atadas con alambre. En los quioscos de revistas se vende la *Guía T*, práctica para decodificar los recorridos. Los colectivos suelen conducirse por carriles apartados de la vereda, quedando a criterio del chofer detenerse o no junto a la acera. Unas pocas unidades cuentan con facilidades para discapacitados. Para abrirse paso en el colectivo se pide "permiso"; para acometer la salida trasera se pregunta: "¿baja en la próxima?". Explorar la ciudad en colectivo es buena receta para situarse frente al descubrimiento de lo cotidiano. La línea 61-62 da la vuelta completa al Macrocentro por Retiro, La Recoleta, Once, Constitución, San Telmo y Plaza de Mayo. El 130 une San Telmo y Belgrano; atraviesa el Centro y todo el parque de Palermo. El 67 une Belgrano con los bosques de Palermo, La Recoleta y la avda. 9 de Julio. El 100 recorre la avda. 9 de Julio desde Retiro hasta Barracas. El 20 bordea el puerto hasta La Boca y se interna por calles de Barracas. El 152 une Belgrano con el Centro a lo largo de la avda. Santa Fe (en sentido contrario no es tan interesante) y concluye en La Boca, allí donde comienza su recorrido el 29: atraviesa San Telmo, Plaza de Mayo, el Obelisco y finaliza en el pequeño puerto deportivo de Olivos. El 168 pone rumbo a San Isidro por la pintoresca Avda. del Libertador. La línea 86 comunica el Centro con el Aeropuerto de Ezeiza. Las líneas 33 y 45 recorren la avda. Costanera Norte desde el Centro. El 60 (ramal Bajo) une la ciudad con San Isidro y Tigre.

Paseo de compras

El *shopping* resuelve en un mismo edificio el tradicional hábito porteño de "salir a ver vidrieras" aunque no se compre nada. Buenos Aires otorga gran importancia a la decoración de las vidrieras, que permanecen visibles e iluminadas aun fuera del horario comercial. Las avenidas Santa Fe y Cabildo matizan el paseo con modernas confiterías y heladerías.

Consejos de ruta

▼ Tango tour
Paseos organizados que incluyen Caminito, San Telmo, Barracas y el barrio del Abasto (☛ 80), donde vivió Gardel cuando llegó a Buenos Aires. En el cementerio de La Chacarita se encuentra su tumba. Las llamadas esquinas de tango no presentan encanto especial: el progreso ha terminado con las evidencias y sobrevive la nostalgia. En San Telmo se cultiva el tango–show: espectáculo de destreza tanguera –impracticable para el lego aunque de todos modos hechizante– junto con un repertorio de tangos célebres. El tango de salón es más refractario a los escenarios, y supone, allí donde se lo practique, la participación de quien se le atreva. Los tours incluyen una hora de aprendizaje en academias de tango y milonga.

▼ Evita tour
Visita memoriosa por solares y reconocidos monumentos públicos ligados antiguamente a la vida y obra de Eva Perón. El paseo está amenizado con la historia real y mítica (que se sostuvo debido a que la información era puramente oficial). Se muestran el balcón de la Casa Rosada (escenario de las arengas peronistas), el Congreso Nacional donde Evita fue velada, la sede de la CGT donde se practicó su embalsamamiento, y su tumba en La Recoleta(☛ 60).

▼ Turismo de campo
Las estancias del *hinterland* porteño ofrecen un día de campo o estadía con pensión completa (comida criolla, show gauchesco, cabalgatas, paseos). La atención es casera y el casco (edificio) y las arboledas son casi siempre centenarios. Las estancias disponen de pocas habitaciones y no siempre cuentan con piscina. La reserva previa es de rigor y se efectúa a través de operadores turísticos y representantes.

▼ Balnearios y piscinas
Buenos Aires no tiene playas que remedien las altas temperaturas estivales. La costa argentina del Río de la Plata es barrosa; el baño es desaconsejable o está prohibido por la contaminación. Los porteños de buena posición huyen a sus quintas, a Mar del Plata, Pinamar o Punta del Este. Las playas más cercanas se encuentran en la costa uruguaya (Carmelo y Colonia) y cerca de Gualeguaychú, sobre el río Uruguay. En la avenida Costanera Norte funcionan tres balnearios artificiales con excelentes piscinas (llamadas piletas). Los recreos del Delta poseen orillas limpias y arboladas; sólo unos pocos cuentan con playa de arena y pileta. En algunos municipios alejados de la ciudad funcionan balnearios populares en piletas o arroyos embalsados.

Esencial

1

La Boca

- Plano: D-8
- Colectivos: 20, 29, 64, 152.

■ La nueva muralla ribereña de La Boca protege el barrio de la Sudestada, viento rioplatense que provoca repentinas crecidas e inundaciones en la costa de Buenos Aires.

■ La contaminación del Riachuelo es tan antigua como su poblamiento. Barracas y mataderos vertían en él toda clase de desperdicios.

■ Vecinos célebres de La Boca fueron Juan de Dios Filiberto, autor de la música de Caminito, y Benito Quinquela Martín, pintor de temática boquense. La letra de Caminito fue compuesta por el riojano Coria Peñaloza, que no se inspiró en La Boca sino en un paisaje de su provincia.

Así se llamó a la zona baja y anegadiza donde el Riachuelo desemboca en el Río de la Plata. Fue un antiguo y abrigado puerto de cabotaje en torno del cual creció un arrabal de changadores y marineros. Hacia 1870, familias y trabajadores inmigrantes de origen genovés hicieron prosperar almacenes y astilleros navales, fundaron el barrio de La Boca y le imprimieron su característica urbana. Casas de madera y chapa pintadas, anticuarios, cantinas, ateliers y una dársena en franco retroceso otorgan a La Boca un clima nostálgico y festivo. Aun cuando el Riachuelo dejó de ser rentable para convertirse en un cementerio de barcos, quedan fragmentos de la cultura portuaria e inmigrante. La Boca es el barrio más náutico y por lo tanto el más porteño; junto con Tigre, el único abierto al río que tiene la región metropolitana en cien kilómetros de extensión.

El pasaje Caminito se originó en la traza de un antiguo zanjón, aprovechado más tarde por el ramal ferroviario que conducía al muelle de la Vuelta de Rocha. Seccionada la manzana en diagonal, las viviendas le dan la espalda para involucrar al paseante en la intimidad de los fondos. Durante la década del 60, los vecinos prestaban sus ventanas, terrazas y balcones para las representaciones teatrales al aire libre que tenían lugar en la curva recién abierta. Al pintor Quinquela Martín se le ocurrió llamarla Caminito, inspirado en el famoso tango-canción estrenado en 1924. El tiempo no lo ha borrado sino todo lo contrario: sobre las vías abandonadas nació un colorido atajo barrial, paso obligado de vecinos y turistas.

La Vuelta de Rocha es un antiguo meandro transformado en lago interior en 1889. Es el baricentro turístico del barrio, punto de partida para recorrer algunas calles sin mayor ambición que descubrir la vida diaria del vecindario. El templo de la pasión futbolística es la cancha de Boca, cuya empinada estructura desborda en voladizo sobre las calles y las vías del antiguo Ferrocarril a Ensenada. Esta ingeniería del vértigo, consistente en comprimir una multitud dentro de una trepidante caja de resonancia, le dio al estadio el apodo de La Bombonera. La mayor concentración de viviendas e inquilinatos de chapa y madera debe buscarse a lo largo de la calle Garibaldi, en las cuadras comprendidas entre el 1400 y el 1800. Mutilada por una vía de carga, esta calle se convierte en uno de los paseos más atractivos de La Boca. Se la puede abordar dando un rodeo por las calles Magallanes y Melo, con viviendas del mismo estilo. Las calles transversales conducen a Barracas, el otro arrabal que nació a la orilla del Riachuelo. Se regresa por la ribera para comprobar que algunas barracas fueron construidas con marcado interés arquitectónico. En torno de la encrucijada de Caminito se ofrecen bares (La Perla es el más característico), boutiques de *souvenirs*, y el único museo de cera del país, muestra de retratos, motivos populares, históricos y costumbristas.

Las casas de inmigrantes eran de madera y chapa acanalada, livianas para edificar ventajosamente sobre terrenos anegadizos y po-

● Fundación Proa
▸ Avda. Pedro de Mendoza 1929.
▸ Tel.: 4303.0909
▸ Horario: de martes a domingos, 11.00-19.00.
▸ Entrada, $ 3.
Nuevo foco cultural de la ciudad, instalado en una casa del 1900 reciclada.

● Museo Histórico de Cera
▸ Del Valle Iberlucea 1261
▸ Tel.: 4303.0563
▸ Horario: de lunes a viernes, 10.00-18.00; sábados y domingos, 11.00-20.00

■ Quinquela Martín fue abandonado al nacer y adoptado por una familia de estibadores. La llamada Casa Natal de Quinquela (Magallanes 887) fue comprada por el pintor para los Chinchela, sus padres adoptivos.

co resistentes. Llegado el caso, también eran desarmables, ya sea por la premura con que se anunciaba la creciente o por la facilidad para recuperarlas. Las precarias condiciones en que se pactaba el alquiler del terreno favorecieron el hábitat desmontable. Para protegerse de la inundación, las construían sobre pilotes de madera. No obstante sus limitaciones, ciertos detalles de confort podían mejorarlas, como balcones de hierro forjado y galerías protegidas con enrejado de madera. Las construcciones "de material" coinciden con el paulatino enriquecimiento de muchos habitantes afincados en el barrio que buscaban imitar los modelos de la ciudad. La amenaza del agua se pone en evidencia en sus elevadas veredas.

● Museo Quinquela Martín
▸ Avda. Pedro de Mendoza 1835.
▸ Tel.: 4301.1080
▸ Horario: de lunes a viernes, 8.00-18.00; sábados y domingos, 10.00-17.00.
▸ Entrada gratis.

■ En Suárez 629 hay un típico conventillo reciclado.

Quinquela Martín (1890-1977) dedicó su vida a interpretar la compleja esencia de La Boca. Su paleta colorida y tortuosa representaba siluetas encorvadas por el trajinar portuario, en un escenario fabril de arduo encanto. Es el creador de lo que algunos llaman Escuela del Riachuelo. La calle Caminito le debe a su iniciativa su colorido y su mercadillo de pinturas. A tal punto los vecinos fueron influidos por la visión del artista que, en un diálogo entrañable y alucinante, la estampa del barrio terminó confundiéndose con la del lienzo del pintor boquense. Sin embargo, el *collage* pictórico que ha multiplicado la imagen de Caminito por el mundo no responde totalmente a la tradición inmigrante y popular. Cada casa era pintada de un color distintivo único, aun cuando otros colores podían aplicarse en zócalos, aberturas, cenefas y desagües externos. Puede decirse que primero La Boca hizo a Quinquela y luego Quinquela hizo a La Boca.

El Museo Quinquela Martín exhibe obras del pintor y cuenta con una sala de mascarones de proa. Funciona en la escuela que él mismo decoró. Allí tenía su atelier y su ocasional vivienda, desde donde podía seguir el curso de los barcos que se adentraban en el Riachuelo y contemplar el Puente Trasbordador, gigantesco pórtico de hierro antiguamente destinado a facilitar el cruce de personas mediante un funicular que se deslizaba entre ambas orillas. Prestó servicios desde 1914 hasta 1940 y fue reemplazado por el nuevo puente. Su imagen adusta se ha convertido en símbolo del barrio. Le sobrevivió un solitario botero que cruza en cuestión de minutos el lecho grasiento del Riachuelo hasta Isla Maciel. No hay tal isla sino otra orilla arrabalera que, según Roberto Arlt, "es rica en espectáculos brutales".

La calle Necochea era el antiguo camino que comunicaba con la ciudad. Conserva algunas casas de chapa centenarias y algo de su vieja fisonomía. Pero es más conocida por las cantinas que dieron fama gastronómica al barrio. Fueron originariamente comedores para marineros. Unas pocas sobreviven para celebrar cumpleaños y despedidas de soltero en un ambiente impregnado de tarantela y cotillón. La calle se anima con sus pregoneros que noche a noche salen a la caza de clientes anémicos de diversión. A una cuadra de allí se encuentra la Plaza Solís, rodeada de casas típicas. En 1894 este antiguo pantano se convirtió en la primera plaza pública de La Boca. Se la considera cuna del Club Boca Juniors.

■ Se dice que en la Plaza Solís se resolvió adoptar los colores de la casaca de Boca Juniors según la bandera del primer barco que arribara al puerto. Un barco sueco cumplió con el requisito. Es frecuente que los embajadores de Suecia en la Argentina se declaren hinchas de Boca.

■ A raíz de un conflicto laboral ocurrido en 1882,un grupo de genoveses comunicó al rey de Italia que acababan de proclamar La República de La Boca. El general Roca en persona acudió al lugar, arrió la bandera genovesa y solucionó el conflicto. Después de visitar la República de Montmartre, Quinquela Martín regresó al barrio adoptivo y refundó la República de La Boca, desde entonces una emblemática institución cultural.

2

- Plano: C-6
- Colectivos: 10, 17, 22, 29, 61, 62, 64, 86, 126, 130, 152.
- Subte: Independencia (líneas C y E).

San Telmo

Fue el primer suburbio del Buenos Aires colonial. Hasta 1871, año en que la fiebre amarilla alejó a la elite porteña de sus residencias, San Telmo fue el barrio más distinguido. Creció sobre el camino que llevaba al fondeadero de La Boca (hoy calle Defensa). Su situación ideal –a un paso del primitivo centro urbano (hoy Plaza de Mayo) y a la vera del río de la Plata– lo convertían en el vecindario ideal, donde convivían grandes terratenientes, comerciantes, pescadores, estibadores y esclavos negros. En la actualidad sus calles albergan anticuarios, solares históricos, tanguerías para turistas, todo envuelto en una atmósfera nostálgica que no resultará indiferente al visitante.

En el mapa turístico, San Telmo y el Barrio Sur confunden sus fronteras. Pero antiguamente los separaba un arroyo que corría por la actual calle Chile. La Plaza Dorrego nació de un apostadero de carretas que detenían su marcha hacia el mercado de la Plaza Mayor. Fue la segunda plaza de la ciudad y la única del barrio. Representa su corazón geográfico y espiritual y conserva de su antiguo uso la ausencia de césped que caracterizaba a las plazas coloniales. Los domingos se cubre de puestos de antigüedades, músicos callejeros, estatuas vivientes, malevos, bailarines y artesanos. Creada en 1970 como feria de anticuarios, hoy ha diversificado su oferta. La feria es un muestrario de objetos de uso común en el Buenos Aires de antaño. Un buen consejo es contemplar el espectáculo desde alguno de los bares que circundan el Rastro porteño. Mientras tanto, los verdaderos

■ San Pedro González Telmo es una clonación de dos devociones diferentes, una española y otra italiana: el dominico Pedro González, beato (no santo) y protector de los pescadores gallegos, y San Erasmo, conocido como San Elmo por los napolitanos. Ambos predicaron a los marineros, cuya devoción explicaba los "fuegos de san Telmo", fenómeno de electricidad estática común en los barcos, pero entonces considerado milagroso. Se representa a San Pedro González Telmo acunando un barquito, tal como aparece en el frente del templo parroquial.

santelmitanos prefieren recluirse en sus habitáculos, mudar de barrio o pasar inadvertidos. Concluida la invasión dominical, San Telmo renace dentro de una atmósfera imperturbable y doméstica, como si nada hubiese acontecido.

La iglesia está bajo la advocación de Nuestra Señora de Belén pero el nombre de la parroquia recuerda a San Pedro González Telmo. Los jesuitas comenzaron la construcción del templo en 1735. Luego de su expulsión, en 1767, los padres betlemitas instalaron un hospital en la antigua hospedería de religiosos (1795). En la sacristía todavía puede verse una mesa de mármol destinada a intervenciones quirúrgicas o disecciones. En los laterales del altar existen dos pequeñas celdas donde solían oír misa las viudas o las embarazadas, cuyo duelo o recato merecían un completo aislamiento. En el antiguo claustro se exponen cilicios, disciplinas, tenebrarios y documentos de la primitiva fundación.
La iglesia conserva en su interior rasgos coloniales e imágenes de origen cuzqueño. El exterior ha sido deformado por el falso estilo colonial de la fachada y de las torres, que no guardan relación con la austera cúpula renacentista. A pesar de todo, cs uno de los pocos edificios del siglo XVIII que perduran. En la sacristía se expone una fascinante colección de cuadros. Corresponden a las doce sibilas griegas, personificadas en profecías del Antiguo y del Nuevo Testamento, que anuncian al mundo pagano las circunstancias del futuro Mesías. Su origen y procedencia se desconoce. Ya estaban allí cuando el primer cura párroco se hizo cargo de la sede en 1813. Permanecieron celosamente ocultas en una de las torres hasta fecha re-

Esencial

- Humberto I° 340.
- Tel.: 4361.1168
- Horario: de lunes a sábados, 8.00-12.00; domingos, 8.00-13.00.
- Visitas guiadas todos los domingos, a las 16.00.

■ Las sibilas eran profetisas inspiradas por los dioses que respondían a quienes consultaban el oráculo. Los autores grecorromanos no se ponen de acuerdo acerca del número de sibilas.

2

● Museo Penitenciario
◗ Humberto Iº 378.
◗ Tel.: 4362.0099
◗ Horario: de martes a viernes, 14.00-18.00; domingos, 12.00-18.00.
◗ Visitas guiadas. Entrada: $ 1.

■ San Telmo fue barrio de conventillos, casas colectivas donde convivían familias de inmigrantes en condiciones precarias. En 1880 había 1770 conventillos en Buenos Aires, con 52.000 inquilinos.

● Museo Histórico Nacional
◗ Defensa 1600.
◗ Tel.: 4304.1182
◗ Horario: de martes a domingos, 12.00-1800.
◗ Visitas guiadas: sábados y domingos, a las 14.00.
◗ Se exhiben documentos y objetos de la historia argentina; entre ellos, la mayor colección de banderas capturadas durante las guerras de la independencia.

ciente, quizás porque los mismos eclesiásticos las consideraban reñidas con el canon doctrinal. El Museo Penitenciario es una de las atracciones más truculentas que ofrece la ciudad. Se trata de una cárcel de mujeres que funcionó desde 1823 hasta 1974 en el segundo enclave jesuítico de Buenos Aires. En sus calabozos se exhiben grillos emparedados a las celdas, objetos elaborados por reclusas, sillas de fusilamiento y funestos maniquíes con atuendos carcelarios.

San Telmo atestigua su pasado colonial en las veredas angostas, en el culto a los patios y farolas de pared. Su mercado se ufana de ser el más antiguo de la ciudad. La ochava de Bolívar y Carlos Calvo ostenta fecha de fundación: 1897. Bajo este adefesio de hierro, algunos puestos se esmeran en reavivar el antiguo esplendor del mercado. Más allá del valor del edificio, es un referente barrial insustituible. Una mirada más atenta sobre antiguas casas de zaguanes y patios constituye el verdadero paseo de San Telmo, aún cuando el barrio ha perdido su estilo colonial. La Antigua Tasca de Cuchilleros (Carlos Calvo 319), construida en 1789, es uno de los últimos solares coloniales de Buenos Aires. Una historia pasional lo vincula con Margarita, prometida en matrimonio al jefe de la Mazorca de Rosas, pero perdidamente enamorada de un payador. Un pozo existente bajo el piso permite suponer que los enamorados se fugaron a través de un túnel secreto. El Pasaje de la Defensa (Defensa 1179) es una casona centenaria de patios y salones. De residencia familiar distinguida pasó a ser conventillo para treinta familias, hasta que fue restaurada como mercado de pulgas. En la esquina de Balcarce y Carlos Calvo funciona la zapatería de don

Blas. No cuenta con ochava, pero sí con un abultamiento que servía para evitar que ladrones y malvivientes quedaran a resguardo de quienes remontaban la calle. Los pasajes San Lorenzo (☛ 82) y Giuffra (Defensa al 800) eran atajos al río que no han perdido su escala barrial.

El Parque Lezama fue quinta de veraneo y tertulias de familias británicas, luego adquirida por Gregorio Lezama, quien completó el parque con criterio paisajístico y mejoró su residencia, una casona italiana de azotea, con amplias galerías y el infaltable mirador que actualmente ocupa el Museo Histórico Nacional. El parque es pródigo en esculturas, glorietas e historias. El escritor Ernesto Sabato se inspiró en este escenario para ambientar *Sobre héroes y tumbas.* Un monumento recuerda a Pedro de Mendoza porque se cree, sin certeza alguna, que en aquella meseta fundó la primera Buenos Aires. El busto de Ulrico Schmidl honra al pasajero bávaro que escribió el derrotero de su malograda empresa. Frente al parque se encuentra la Iglesia Ortodoxa Rusa, edificio secular cuyo interior está dominado por un valioso iconostasio de hechura bizantina. Las cadencias del coro polifónico –del todo ajenas a la tradición gregoriana– infunden místico encanto a las prolongadas celebraciones del rito oriental, que poco han cambiado en el curso de los siglos.

■ En el edificio de la Confederación General del Trabajo (CGT) fue embalsamado el cuerpo de Evita (Azopardo 802). Cerca de allí se levanta el monumento Canto al Trabajo, que ha recibido interpretaciones contradictorias: homenaje al aspecto liberador del esfuerzo, y también símbolo de lo infructuoso del trabajo. Otras versiones afirman que este bronce de Rogelio Yrurtia conceptualiza un aspecto más verosímil del trabajo: de todos los esculpidos, pocos hacen fuerza; los otros se limitan a conducirlos, o peor, a arengarlos. Está ubicado en el medio de la Avda. Paseo Colón al 800.

● Iglesia Ortodoxa Rusa,
▸ Avda. Brasil 315.
▸ Tel.: 4361.4274
▸ Horario: sabados, 18.00-20.30; domingos, 10.00-12.30.

3

● Plano: D-6
● Colectivos: 10, 17, 22, 29, 45, 64, 86, 126.
● Subte: Perú (A), Moreno (C), Catedral (D),Bolívar (E).

Barrio Sur

Fue el barrio elegante del Buenos Aires colonial, de veredas angostas y calles rectas que apuntaban a la barranca fluvial y a la Plaza Mayor. Llamado antiguamente Catedral al Sur y hoy Montserrat (o Monserrat), tuvo los mejores templos y las mejores casas, y se consolidó a lo largo del Camino Real que conducía al Puerto de los Navíos (La Boca). Del Barrio Sur quedaron sus iglesias y unas pocas casas, algunas de ellas convertidas en inquilinatos por la afluencia inmigratoria. De noche, el barrio es muy solitario, únicamente animado por las tanguerías de la calle Balcarce.

■ En el Barrio Sur se encuentran las iglesias más importantes del Buenos Aires colonial. Fueron muy modificadas a través de los años y poseen criptas con algunas tumbas históricas.

Defensa y Alsina es la esquina histórica del Barrio Sur. En el solar que ocupa la basílica de San Francisco estuvo la primera iglesia de Buenos Aires, inaugurada en 1584 en el predio otorgado por Juan de Garay a los padres franciscanos. La carencia de materiales y de constructores obligó a refundarla dos o tres veces. Una de ellas habría sido bendecida por San Francisco Solano, en 1595. La iglesia actual comenzó a construirse en 1726 con diseño de un arquitecto jesuita. En 1911 un arquitecto alemán le cambió el estilo neoclásico original por una cobertura de aspecto barroco que recuerda a las *kirche* de Baviera. El órgano es de 1772 y el púlpito de madera es una reliquia del barroco americano. El claustro de San Francisco fue fundado en 1755. Unos pocos monjes lo mantienen en actividad pero no puede visitarse. El resto de la manzana franciscana estuvo ocupado por un conventillo que ha sido rehabilitado como vivienda colectiva (Alsina al 300 y Balcarce al 200).

● San Francisco
◗ Alsina 380.
◗ Tel.: 4331-0625
◗ Horario: de lunes a viernes, 6.30-11.00 y 16.30-19.00; sábados, 7.30-11.00 y 17.30-19.00; domingos, 7.30- 11.00.

En el atrio de San Francisco se levanta la Capilla de San Roque, ermita mandada a construir en 1754 por los padres terciarios con dinero de limosnas. Sus imágenes de madera policromada son del siglo XVIII al XIX. En la misma esquina existe un recorte urbano con cuatro estatuas que en otra época adornaron la Pirámide de Mayo. En las otras dos esquinas perduran dos antiguas casas de altos, ejemplos de la arquitectura doméstica del siglo XIX. Los Altos de Elorriaga, construidos en 1812, fue una de las primeras casas de este tipo que tuvo la ciudad y una de las poquísimas esquinas porteñas sin ochava. Parece imposible que antiguamente desde su mirador pudiera verse el río; la otra, construida en 1894, alberga el Museo de la Ciudad (☛ 79), reducto del Buenos Aires memorioso. En la planta baja atiende la tradicional Farmacia La Estrella, la más preciada de Buenos Aires, con sus anaqueles de nogal y el cielo raso decorado.

La Manzana de las Luces fue donada a los jesuitas en 1633 para residencia conventual, colegio, iglesia y procuraduría (oficina misional). Ésta se constituyó más tarde en la primera sede de la Universidad de Buenos Aires (Perú 222). En Perú 272 funcionó el primer Parlamento argentino: la Legislatura de la Provincia de Buenos Aires. En el recinto conocido como Sala de Representantes juraron Rosas como gobernador y Rivadavia y Mitre como presidentes. En la misma manzana, San Ignacio fue el templo jesuita de Buenos Aires. La Compañía de Jesús llegó al Río de la Plata en 1587 y edificó una iglesia en la Plaza Mayor

■ Tras un frustrado golpe militar, y como corolario de la pésima relación entre Perón y la Iglesia, los templos del Barrio Sur fueron saqueados y quemados por bandas peronistas en la noche del 16 de junio de 1955. San Francisco, Santo Domingo, San Roque y San Juan perdieron sus altares mayores y retablos originales. En la víspera,el presidente Perón había sido excomulgado por la Santa Sede.

● Capilla de San Roque
◗ Horario: los días 16 de cada mes, 6.30-11.00 y16.30-19.00.

■ Se llamaba casas de altos a las casas coloniales de dos pisos. La planta baja solía estar destinada al comercio; la vivienda ocupaba la planta alta.

● Manzana de las Luces
◗ Perú 272.
◗ Tel.: 4342.9930
◗ Horario: todos los días, 10.00-19.00
◗ Visitas guiadas: sábados y domingos, 15.00 y 16.30 horas. Incluyen descenso a los túneles restaurados del siglo XVIII.
◗ Entrada: $ 3,50.

3

■ La Manzana de las Luces queda delimitada por las calles Perú, Alsina, Bolívar y Moreno. Se llama así porque en su ámbito florecieron instituciones culturales y se educaron personajes de la encumbrada sociedad porteña.

● San Ignacio
◗ Bolívar 225.
◗ Tel.: 4331.2458
◗ Horario: lunes a viernes, 8.30-13.30 y 17.00-20.30; sábados y domingos, 9.00-12.00 y 17.00-20.30.

● Santo Domingo
◗ Avda. Belgrano esquina Defensa
◗ Tel.: 4331.1668
◗ Horario: lunes a viernes, 8.00-12.30 y 16.00-19.30; sábados, 19.00 horas; domingos, 11.00-12.00 y18.00-19.00.

hacia 1610. Una iglesia provisoria de 1662 remodelada por constructores de la Orden dio origen al templo actual, inspirado en la tipología del Gesú de Roma. Fue construido entre 1710 y 1722. Se trata de la iglesia más antigua que se conserva en la ciudad. Sólo el campanario de la izquierda (sur) es original, de 1685. Junto con el muro frontal, son las reliquias arquitectónicas más antiguas de Buenos Aires. La torre norte es de 1850 y posee una campana de 1766. Apenas 45 años estuvieron los jesuitas al frente de San Ignacio, ya que recibieron la orden de expulsión en 1767. Contiguo a la iglesia se levanta el Colegio Nacional de Buenos Aires, cuyo prestigio se remonta al antiguo Colegio Máximo jesuita (1732). El edificio actual fue terminado en 1918 y es ejemplo del academicismo francés rioplatense. Una red de túneles conectaba el predio jesuita con las demás iglesias y el Cabildo. Sirvieron para el contrabando, ya que la legislación colonial impedía a Buenos Aires comerciar con otros puertos.

El templo de Nuestra Señora del Rosario, hoy basílica, comenzó a construirse en 1751 y fue inaugurado en 1783. Siguiendo la tradición de mala construcción colonial, varios templos anteriores se derrumbaron. El órgano de la iglesia es uno de los más completos de la ciudad. En el Camarín de la Virgen se conservan algunas banderas capturadas por el virrey Liniers a los invasores ingleses que allí se atrincheraron, en 1807; y también las que fueron despojadas por Belgrano a los españoles en las guerras del Alto Perú, donadas a la Virgen del Rosario. En el atrio se levanta el Mausoleo del general Belgrano. El prócer fue bautizado y enterrado en el templo y su familia estuvo muy vinculada a la orden de los dominicos (su padre, Domingo, fue terciario desde 1759). El frente de estilo neoclásico es uno de los menos "hermoseados" por intervenciones posteriores. Los cimientos del Convento de Santo Domingo son de 1792.

El templo de San Juan Bautista, inaugurado en 1795, sirvió al convento de las monjas capuchinas (clarisas), quienes lo reformaron y ampliaron. Las torres son asimétricas, diferentes en forma y altura. En la nave se conserva la tumba del quinto virrey del Río de la Plata, Pedro Melo de Portugal y Villena, fallecido en 1797. Una leyenda asegura que fue enterrado con su espada de oro y plata, convertida en cáliz por las monjas. El conjunto monástico, deshabitado desde 1982, ha sido integrado al jardín del Hotel Inter-Continental (Alsina y Piedras).

La Legislatura de la Ciudad (Perú 160), ex Concejo Deliberante, fue construida en 1931. Se trata de un brillante y postrer ejemplo de academicismo francés. La imponente presencia de su torre reloj y campanario de 95 metros de altura la acerca contextualmente al ámbito de la Plaza de Mayo, de la que constituye su más gallarda elevación. El edificio más estrambótico de la zona es el Otto Wolf, de 1914, que domina la esquina de Belgrano y Perú. Su fantástica escenografía incluye un bestiario propio y poderosos atlantes que cargan la balconada. Las cúpulas gemelas habitables aportan su inequívoco perfil al Barrio Sur.

■ En lo alto de la torre izquierda de Santo Domingo (la única que tenía entonces) se aprecian los impactos de proyectiles disparados durante la guerra callejera porteño-británica de 1806-1807. Las balas de cañón originales fueron reemplazadas más tarde por bochas de madera. La torre derecha es de 1853.

■ El pasaje 5 de Julio fue abierto a través del antiguo cementerio del convento de Santo Domingo.

● Museo Etnográfico
- Moreno 350.
- Tel.: 4345.8196.
- Visitas guiadas: 4331.7788.
- Horario: miércoles a domingos, 14.30-18.30.
- Colecciones de etnografía argentina y antropología sudamericana.

PLAZA DE MAYO

● Plano: D-5
● Subte: Plaza de Mayo (A), Catedral (D), Bolívar (E).
● Colectivos: 22, 29, 33, 61, 62, 64, 86, 126, 130, 152.

● Museo Histórico del Cabildo
▸ Bolívar 65.
▸ Tel.: 4334.1782
▸ Horario: martes a viernes, 12.30-19.00; domingos, 15.00-19.00.

■ El patio del Cabildo cuenta con un aljibe o pozo, artefacto que sólo se permitían las casas pudientes. Hasta bien entrado el siglo XIX, la provisión de agua potable se efectuaba a través de carros aguateros.

■ En virtud de un decreto, el reloj del Cabildo llegó a regir la hora oficial de Buenos Aires.

La plaza porteña y argentina más conocida en el mundo. Es el centro cívico del país y sitio fundacional de Buenos Aires. Sivió de plaza de armas y mercado de abasto colonial hasta convertirse, a partir de la Revolución de Mayo de 1810, en el escenario de las grandes convocatorias populares y políticas.

El Cabildo, con su frente de doble arquería y su torre, es el único edificio colonial de la Plaza de Mayo que quedó en pie. Fue comenzado hacia 1725. El cabildo colonial se ocupaba del gobierno de la ciudad y administraba justicia. Cuando el poder monárquico español fue puesto en jaque, el Cabildo porteño obtuvo poder político creciente. En 1810 se gestó allí la primera revolución emancipadora al sur del Ecuador, evocada en el Museo Histórico del Cabildo. Si bien en 1821 los cabildos virreinales cesaron en sus funciones, el edificio siguió prestando servicios. Techos, arcadas y torre fueron remodelados, y finalmente fue mutilado por la necesidad de abrir las avenidas linderas sobre la Plaza de Mayo, entre 1890 y 1930. La guardia de honor del Cabildo está confiada al Regimiento de Patricios, creado tras las Invasiones Inglesas de 1806.

Buenos Aires no tuvo una iglesia matriz digna hasta mediados del siglo XVIII. En 1620 fue nombrado el primer obispo del Río de la Plata; pero la catedral definitiva fue proyectada recién en 1754 y consagrada realmente en 1836. Luego se rehizo unas diez veces por derrumbes y mala calidad de los materiales. Durante medio siglo la catedral porteña no tuvo fachada, hasta que en 1822 el presidente Rivadavia mandó imitar el frente neoclásico del Palais Bourbon (hoy Cámara de Diputados de Francia), con doce columnas –una por cada apóstol–, que jamás proporcionó al templo un aspecto religioso. Sus frustradas torres se desplomaron y no pasaron de ser fantasiosos dibujos en los planos.

La Catedral es más interesante por dentro. Se destaca el Altar Mayor, de 1782, tallado y policromado en cedro del Paraguay. El altar de San Pedro (junto al Altar Mayor) y los dos púlpitos rococó también son del siglo XVIII. De la misma época es la imagen de Nuestra Señora de La Paz, de origen boliviano. El Santo Cristo de Buenos Aires, tallado en algarrobo blanco por un orfebre portugués mortificado por la Inquisición, se encuentra en el altar del crucero y preside el templo desde 1671. El órgano es el más antiguo de la ciudad. Desde 1880 una capilla lateral alberga el Mausoleo del general San Martín (1778-1850). Una cripta guarda los restos del primer obispo, de gobernadores y otros meritorios difuntos coloniales. Los mosaicos del piso son de fabricación inglesa. Su precioso diseño *art nouveau* está dedicado a la pasionaria, trepadora tropical sudamericana cuya estructura floral se asocia a los símbolos de la pasión de Jesús: los tres estigmas representan los clavos de la cruz de Jesucristo; los sépalos y pétalos, la corona de espinas. La estrella que se encuentra en el piso del peristilo no es bíblica sino catastral: indica el nivel patrón de todos los edificios de la ciudad.

La Casa de Gobierno ocupa el lugar del antiguo Fuerte, residencia oficial de virreyes y gobernadores hasta 1862. El país no

● Catedral Primada
- Rivadavia esquina San Martín.
- Tel.: 4345.3369
- Horario: lunes a viernes, 8.00-19.00; sábados, 9.00-12.30 y 17.00-19.30; domingos, 9.00-14.00 y16.00-19.30.
- Visitas guiadas: lunes a viernes, a las 13.00; sábados, a las 11.30; domingos, a las 10.00.
- La cripta permanece abierta sólo el día de los difuntos (2 de noviembre).

■ En 1770, debido a que la cúpula de la Catedral presentaba fisuras, el virrey Vértiz embargó los bienes del arquitecto constructor.

● Museo de la Casa de Gobierno
▸ Hipólito Yrigoyen 219.
▸ Tel.: 4344.3802
▸ Horario: lunes a viernes, 10.00-18.00; domingos, 14.00-18.00.
▸ Visitas guiadas: lunes y viernes, 16.00 horas; domingos, 15.00-16.30.

■ Se llama Casa Rosada al Palacio Presidencial. Se dice que el color se formó mezclando de manera ecuánime el rojo –divisa de los federales– y el blanco –emblema de los unitarios–. Otra alusión a las rencillas políticas argentinas puede verse en el friso de la Catedral, de 1862, que representa el tema bíblico de la reconciliación de José, hijo de Jacob, y sus hermanos.

■ Sobre las baldosas calcáreas de la Plaza de Mayo aparecen dibujados los pañuelos blancos de las madres y abuelas de desaparecidos durante la última dictadura militar (1976-1983).

tuvo capital federal ni palacio de gobierno hasta 1880. En 1894 se unieron dos edificios existentes más o menos simétricos, y en el callejón que los separaba se diseñó el gran arco de acceso sobre la calle Balcarce, custodiado por los vistosos e impasibles Granaderos de San Martín. El balcón del primer piso se hizo famoso por las arengas presidenciales, gesto populista que ha caído en desuso. El confuso estilo del edificio, que tolera por igual mansardas francesas, loggias italianas y otros híbridos ornamentales propios del eclecticismo rioplatense, resume una larga trayectoria de añadidos y demoliciones. Con los trabajos de remodelación del ala sur –rehecha en 1938 porque estorbaba al tránsito– se descubrieron las construcciones de ladrillo del fuerte del siglo XVII. En 1942 aparecieron los restos de la Aduana Nueva, demolida en 1894 para construir el puerto. Ambas ruinas forman parte del Museo de la Casa de Gobierno, sótano húmedo donde se honra a los presidentes nacionales y se rememora la cota de fundación de la ciudad colonial.

La Pirámide de Mayo fue el primer obelisco porteño. Este adorno, hecho a las apuradas y sin presupuesto, nació como modesto recuerdo del primer aniversario de la Revolución de Mayo (1811) y se transformó con el tiempo en el centro de los festejos patrios. El monumento original de adobe fue revestido y mejorado por el pintor y arquitecto Prilidiano Pueyrredón en 1856, y coronado por una estatua de la libertad que simboliza la República. La Pirámide de Mayo estuvo originariamente frente a la Catedral, pero en 1912 fue desplazada sobre rieles hasta su posición actual.

En la esquina de Hipólito Yrigoyen y Balcarce funcionó el Congreso Nacional, entre 1864 y 1905, cuando fue trasladado al nuevo Palacio del Congreso (☛ 45). Dentro de un gigantesco edificio que alberga varias oficinas públicas, queda en pie el recinto de sesiones con su mobiliario original. Allí juraron siete presidentes argentinos. Por falta de espacio senadores y diputados debían reunirse por turnos. El antiguo frente se halla dispuesto de manera oblicua, ya que cuando fue construido debía someterse al trazado de una ochava similar a la que conservó el edificio del Banco de la Nación. Las fotos murales del recinto ilustran acerca de aquellas construcciones desaparecidas.

● Antiguo Congreso Nacional
▸ Balcarce 139.
▸ Tel.: 4331.4633
▸ Horario: jueves, 15.00-17.00.

■ Para descubrir la Plaza de Mayo seca y fluvial del Buenos Aires de antaño, con su cabildo completo y la Recova Vieja que la dividía, hay que descender al subte a contemplar el mural de mosaicos de la estación Catedral (subte D).

En el paisaje variopinto de la Plaza de Mayo se destacan también los afrancesamientos del Palacio de Gobierno (Bolívar 1), los soportales de la calle Hipólito Yrigoyen (Recova Nueva) y el sobrio academicismo del edificio del Banco de la Nación, construido en 1939. Su monumental salón de operaciones remata en una cúpula de 50 metros de diámetro. En 1883 se demolió la Recova Vieja –dividía la plaza en dos mitades– y se plantaron palmeras, muy elogiadas por Sarmiento y resistidas por la sociedad porteña, que las consideraba árbol foráneo y antipatriótico. Tan bien aclimatadas como los plátanos y jacarandaes, las palmeras otorgan a la Plaza de Mayo un aire subtropical inconfundible.

5

AVENIDA DE MAYO

- Plano: C-5
- Colectivos: 7, 56, 64, 86; la atraviesan las líneas 10, 17, 45, 59, 60, 67, 100, 102.
- Subte: estaciones comprendidas entre Perú y Congreso (línea A).

■ La Avenida de Mayo nació para unir visualmente la Casa de Gobierno con el Congreso Nacional. Fue abierta en 1894 por el primer intendente de la ciudad, Torcuato de Alvear, a quien, por su atrevida iniciativa, se lo llamó el Haussmann porteño, en alusión al urbanista que trazó los grandes bulevares de París.

- Casa de Cultura de la Ciudad
  - Avda. de Mayo 575.
  - Tel.: 4372.3612
  - Horario: lunes a viernes, 9.00-17.00.
  - Visitas guiadas: sábados y domingos.
  - Entrada gratis.

Fue la primera avenida de Buenos Aires, tajo abierto sobre la traza colonial de calles estrechas que surgió como expresión del espíritu de modernidad que animaba a la recién declarada capital argentina. Escenario de desfiles presidenciales, carnavales y sepelios multitudinarios, es también paseo primordial de los turistas. Sobre "la Avenida" se levantaron los hoteles y edificios de renta más elegantes y se nutrieron los ateneos literarios. Aun en su eclecticismo *fin de siècle*, este monumento histórico y arquitectónico de diez cuadras de largo guarda su estilo característico. Proyectada a la manera de la Gran Vía madrileña –con sus cafeterías y viejos teatros de zarzuela– tenía doble mano y los coches estacionaban en el centro de la calzada, entre las farolas de hierro fundido. Hoy –y a pesar de sus cambios– este barrio lineal debe recorrerse completo y caminando.

La Avenida se abre paso entre el Cabildo y el Palacio La Prensa, inaugurado en 1898. Es obra cumbre del academicismo francés imperante en la época. El dibujo de la fachada fue encargado a París por su propietario José C. Paz, director del diario *La Prensa*. Tal como era habitual, materiales, empresas y decoradores fueron importados de Francia; también el reloj de la fachada y la estatua de bronce con farola que corona el edificio. La tradicional sirena servía para anunciar grandes noticias y sonó por primera vez cuando asesinaron al rey de Italia, Humberto I, en 1900. Funciona allí la Casa de Cultura de la Ciudad.

El subte más antiguo de América latina corre bajo la Avenida de Mayo. Fue inaugurado en 1913 y unía Plaza de Mayo con Miserere. Es el menos asfixiante y el más evocador de los subtes porteños. Un buen consejo es dejar pasar las formaciones nuevas y esperar los antiguos trenes de madera, que arrancan a los portazos y marchan a los zarandeos. La estación Perú se conserva tal cual era, con su boletería de hierro fundido, tulipas a media luz y publicidad de época. Se puede ingresar a la estación por el pasaje Roverano (número 560), de 1878. El Café Tortoni, fundado en 1858, es el sobreviviente más famoso de los antiguos ateneos literarios de la Avenida de Mayo. Atendía en Rivadavia 826. Dicen que cuando nació la Avenida de Mayo, no sólo abrió el frente en el número 825 sino que inauguró la moda de colocar las mesas en la vereda. El Club Español se destaca por su decoración y profusión de pinturas y esculturas. El notable despliegue artesanal de herrerías, marmolerías y vitrales lo convierte en un verdadero palacio social. Se destaca el Salón Alhambra, todo un alarde del arte hispano-musulmán. El edificio, terminado en 1911, resulta un atrevido compendio de estilos historicistas y antiacademicistas.

Cúpulas y linternas dominan el cielo de la Avenida de Mayo. De acuerdo con sus ínfulas de modernismo y a la creciente riqueza del país, la primera avenida capitalina decidió probar todo el menú de estilos disponible a fines del siglo XIX. El variado repertorio de detalles incluye molduras, cornisas, estatuas empotradas, loggias, ventanas y balcones de artísticos diseños y caprichosos remates de techos. La apoteosis de la arquitectura se verifica

■ En Rivadavia 781, un auténtico conventillo ha sido transformado en espacio cultural *sui generis*.

■ Son tradicionales las librerías de lance que funcionan entre Perú y avda. 9 de Julio. Todas se ubican en la vereda de numeración impar. En el edificio del Tortoni tiene su sede la Academia Nacional del Tango.

● Club Español
▸ Bernardo de Irigoyen 172.
▸ Tel.: 4334.0300
▸ Visitas guiadas: a pedido.
▸ Su restaurante es uno de los más lujosos de la ciudad.

■ En las peñas y cafés literarios y culturales de la Avda. de Mayo desfilaron Rubén Darío, Ortega y Gasset, Blasco Ibáñez, Eduardo Schiaffino, Ernesto de la Cárcova, Roberto Arlt, y otros.

■ Las calles transversales Salta y Santiago del Estero aglutinan a los clásicos restaurantes de cocina española.

■ Los 36 Billares, en Avda. de Mayo 1265, es un clásico "bar-billares" porteño. Además se juega dominó, cartas y ajedrez. Fue inaugurado en 1882 y se anima hacia la tardecita.

● Museo Histórico de la DGI
▸ Avda. de Mayo 1317.
▸ Tel.: 4381.1047
▸ Horario: lunes a viernes, 11.00-17.00.

al atravesar la avenida 9 de Julio. El Hotel Castelar es el único sobreviviente de los elegantes hoteles de la Avenida de Mayo (número 1152). El edificio fue construido en 1928 por el arquitecto Palanti, autor del pasaje Barolo, y alojó al Hotel Excelsior. Una placa recuerda que en la habitación 704 vivió durante algunos meses García Lorca (1898-1936). Los baños turcos del Castelar son toda una tradición de Buenos Aires. El Teatro Avenida (número 1222) conserva una fuerte tradición hispana. Fue inaugurado en 1908 y su fachada actual debió ser reconstruida tras un incendio en 1979. Fue palacio del sainete y la zarzuela. Allí se estrenó para el mundo, en 1945, la obra póstuma y por años perdida de Federico García Lorca, *La casa de Bernarda Alba.*

En la cuadra del 1300 hay que detenerse en dos o tres edificios que hicieron época en la ciudad. En el número 1317 estuvo el lujoso Hotel Majestic, de 1909, coronado por una gran torre y con hermosos vitrales en su interior. En el Museo que funciona en el quinto piso se exhiben piezas y objetos pertenecientes al hotel. El edificio del número 1333 perteneció al diario *Crítica*; es un excelente *art decó* porteño de 1927. El Palacio Barolo es uno de los edificios más impactantes y mejor construidos de Buenos Aires. Este rascacielos inaugurado en 1923 llegó a ser el más alto de la ciudad hasta que se construyó el Kavanagh (☛54). La torre central fue coronada por un faro de 300.000 bujías que brilló a 103 metros de altura sobre la Avenida de Mayo. Su profusa y compleja ornamentación lo distingue como obra de impronta antiacademicista. Aloja un mundo de oficinas y lo atraviesa un pasaje a nivel de la calle (número 1370). En la entrada de la calle Hipólito Yrigoyen puede contemplarse el quiosco más hermoso de la ciudad, una burbuja de vidrio que parece fabricada por Lalique. La cuadra del 1400 está dominada por La Inmobiliaria, uno de los primeros y más grandes edificios de rentas de la ciudad. Fue construido en 1910 bajo la influencia academicista italiana. Dos esbeltas linternas rematan la fachada en las esquinas de la cuadra.

El Congreso Nacional sesionó en varios edificios de la ciudad hasta que en 1906 fue inaugurado el Palacio Legislativo. Su parentesco con el monumento a Vittorio Emmanuele de Roma parece evidente. Los lujosos salones y recintos parlamentarios se pueden visitar. El Salón Azul remata en la cúpula de 80 metros de altura que corona el edificio. Una gigantesca araña de bronce pende sobre el gran espacio central, donde fueron velados Evita, Perón y otras figuras políticas. En la esquina de Callao y Rivadavia la muy clásica Confitería del Molino aguarda ser rehabilitada en su llamativo edificio de 1915. La Plaza del Congreso se proyectó para abrir la perspectiva hacia el frente monumental del Congreso Nacional, aun cuando su escalinata no se utiliza casi nunca. El espacio de la plaza se encuentra dominado por el Monumento a los dos Congresos y exhibe un ejemplar más del famoso Pensador de Rodin. El edificio de Rivadavia 1745 remata en una pieza de relojería única en Buenos Aires. Ya no marca las horas pero recuerda a los moros campaneros de la *Piazza San Marco,* de Venecia.

■ En el Majestic se hospedaron la infanta Isabel de Borbón, George Clemenceau, Le Corbusier, Saint-Exupéry y otras importantes figuras. El bailarín Vaslav Nijinsky pasó allí su luna de miel.

■ El millonario italiano Barolo y su arquitecto milanés Mario Palanti construyeron en Montevideo el Palacio Salvo, similar al Barolo de Buenos Aires. Se dice que los potentes faros que coronaban sus torres podían alumbrarse mutuamente sobre el Río de la Plata.

● Congreso Nacional
- Plano: B-5
- Hipólito Yrigoyen 1869.
- Tel.: 4959.3000
- Colectivos: 60, 86, 102.
- Subte: Congreso (A).
- Visitas guiadas: lunes, martes y viernes, 11.00 (español, inglés, francés); 16.00 (sólo inglés); 19.00 (español).
- No se permite el ingreso en pantalones cortos.

● Plano: C-5
● Colectivos: 26, 155. La atraviesan las líneas 10, 17, 29, 45, 59, 60, 67, 100, 102, 168.
● Subte: la línea B circula bajo la avda. Corrientes. En el Obelisco, las líneas B, C y D combinan entre sí en las estaciones Carlos Pellegrini, Diagonal Norte y 9 de Julio.

■ Para cruzar la avenida más ancha del mundo sin mirar el Obelisco existen dos pasajes bajo tierra, donde se puede abordar el subte o bien salir a la superficie con los zapatos bien lustrados o provisto de alguna bombacha de campo adquirida como recuerdo.

● Centro Cultural General San Martín.
▸ Avda. Corrientes 1530.
▸ Gran complejo cultural diseñado para el desarrollo simultáneo de actividades: cine clásico y no convencional, exposiciones, títeres, danza contemporánea, teatro, fotografía, biblioteca de arte moderno, etcétera.

AVENIDA CORRIENTES

Cinco o diez barrios porteños desembocan en el Centro por la avenida Corrientes. Caminando o viajando en subte puede recorrérsela en sentido contrario, marchando a descubrir los últimos jirones del Abasto (☛ 80), el barrio que vivió a la sombra de Carlos Gardel. Caminar por Corrientes es comprometerse con el diurno bullicio céntrico o con el clima nocturno de los cines y las clásicas pizzerías, evocando al mismo tiempo esquinas memoriosas. Desde Callao, la avenida gravita decididamente hacia el Obelisco. Abundan las mesas de libros al alcance de la mano, los cafés y pequeños foros culturales.

Corrientes era angosta como una calle más. Allá por los años 20, el tango, el sainete y el teatro nacional marcaron su historia. Por sus tertulias bohemias y su despabilada vida nocturna fue apodada "la calle que nunca duerme". Sus memorables cafetines le dieron al tango vuelo propio. En los años 30 el progreso exigió su ensanche y éste acabó con sus mejores teatros y confiterías, no así con la nostalgia: para muchos sigue siendo "la calle Corrientes". El tango *A media luz* inmortalizó el "Corrientes 348". Una placa conmemorativa recuerda este domicilio reinventado. La numeración y el "segundo piso ascensor" se deben nada más que a la métrica musical. El 11 de diciembre, natalicio de Carlos Gardel, se festeja el cumpleaños del tango en Corrientes y Esmeralda. A esta esquina, inmortalizada por el tango de Celedonio Flores, "dieron lustre las patotas bravas". Los homenajes murales lo atestiguan, no así su atmósfera modernizada.

Corrientes creció a partir de 1870, cuando las familias del sur se mudaron hacia el norte. La casa ojival de Corrientes y Florida es un raro sobreviviente de aquella época. Sobre la pared de Corrientes existe un homenaje a Ana Díaz, única "manceba de la tierra" que integró la comitiva de Juan de Garay, convirtiéndose en la primera propietaria de la calle Florida. La Confitería Ideal (Suipacha 384) fue edificada por un gallego en 1918, con lámparas, vitrales, *boiseries*, vitrinas de cristal biselado, sillones y utensilios importados de Europa. Es un reducto de tango y sirvió de escenario a las películas *Gatica*, *Tango*, *La historia oficial* y *Evita*. Cuando la ciudad dejó de mirar a París para admirar Nueva York surgió la primera generación de rascacielos modernos: el Safico (número 456), de 1934, y el Comega (número 222), de 1932, *ópera prima* de un arquitecto recién recibido. El plateresco Jousten Hotel (número 240), de 1928, fue un clásico de la vieja generación hotelera del Microcentro.

El Obelisco nació con la apertura de la avenida 9 de Julio y dio a Corrientes su primera plaza y su primer monumento. Tiene 67 metros de alto y es símbolo de Buenos Aires, de sus fundaciones, de su capitalidad y de muchas cosas más. Materializa el alma de la ciudad que busca las alturas, fruto de los afanes modernistas, se dijo. Cierto que no es un obelisco auténtico, es decir, monolítico, y que se lo llamó Obelisco porque había que llamarlo de alguna manera. Pero es la postal más característica de Buenos Aires.

■ El Luna Park fue el palacio del boxeo nacional. Allí fueron velados los restos de Carlos Gardel (1936) y se conocieron Evita y Perón (1944).

■ La Diagonal Norte fue concebida para abrir la perspectiva de la Plaza de Mayo al Obelisco. Las cinco esquinas de "Florida y Diagonal" exhiben edificios notables que rematan en cúpulas.

■ El Obelisco se inauguró en 1936 y corrió la misma suerte que otros edificios simbólicos. Como la Torre Eiffel, fue ridiculizado y criticado y hasta se aprobó una ordenanza para demolerlo.

● Plano: D-5
● Colectivos: 10, 17, 29, 59.
● Subte: Florida (B), Lavalle (C), Catedral (D).
● El nombre oficial del barrio es San Nicolás; pero la iglesia de San Nicolás desapareció bajo el pavimento de la avenida 9 de Julio y fue reedificada fuera del barrio.

● Museo Numismático del Banco Central
▸ San Martín 216.
▸ Tel.: 4348.3882
▸ Horario: lunes a viernes, 10.00-15.00.
▸ Exhibe las primeras monedas argentinas, emisiones privadas como las de Urquiza. El buscador de oro Julio Popper y el autoproclamado Rey de Araucania y Patagonia.

MICROCENTRO

Al norte de Plaza de Mayo se extiende la City porteña, antiguo distrito de Catedral al Norte. La traza regular de sus calles y las veredas angostas evocan la villa fundacional. Durante el siglo XIX fue el Barrio Inglés de la ciudad. Lo atestigua la Catedral Anglicana de San Juan Bautista (25 de Mayo 276), de 1830. Sitiada entre edificios, este templo con ambiente decimonónico sugiere la escala que tuvo la ciudad en otro tiempo. El comercio inglés dio origen al desarrollo de la zona hotelera (hoy desaparecida) y bancaria, representada por varios edificios de carácter monumental, como el ex Banco Tornquist, de 1927 –hoy Credit Lyonnais, en Bartolomé Mitre 559–, obra destacada del academicismo argentino, y el Banco Hipotecario (ex Banco de Londres), de estilo "brutalista", construido en 1966 en la esquina más bancaria de la City: Reconquista y Bartolomé Mitre. En el barrio del dinero no faltan las valiosas colecciones de billetes y monedas.

El Centro es abigarrado y no concede plaza alguna. Cuando los frailes mercedarios evacuaron el convento de San Ramón Nonato quedó abierta la puerta para descubrir el único oasis de la City (Reconquista 269). La Iglesia de la Merced –hoy basílica– ya prestaba servicios en 1733. Se trata del templo más antiguo que se conserva en la ciudad después de San Ignacio, mérito de valor más histórico que arquitectónico. El Convento de Santa Catalina de Siena, construido en 1740 y muy reformado, llegó a enriquecerse con objetos de culto robados por el virrey Ceballos durante la reconquista de Colonia del Sacramento. Las penurias económicas fueron mutilando el claustro en favor de nuevos emprendimientos inmobiliarios. Los neoporteños llaman Catalinas a las torres de Retiro. Esta *Petite Défense* ventosa y desapacible es un pólder de hormigón y vidrio que vive del estresante nomadismo oficinesco. Nada justifica su visita, excepto la vista panorámica que se obtiene desde el piso 24 del Sheraton Hotel.

Florida es la calle peatonal diurna de Buenos Aires. En el siglo XIX contaba con los mejores comercios de la ciudad. Su ambiente es más febril cuanto más se aproxima a Diagonal Norte, destacándose la muy porteña Galería Güemes (☛ 82), de 1915. Florida se vuelve más turística y distendida hacia Plaza San Martín (☛ 53), donde el sorpresivo quiebre de la cuadrícula invita a dispararse hacia otras calles. Aunque las ofertas al paso y la jungla de marquesinas han vulgarizado su aspecto, la elegancia de otras épocas no se ha perdido totalmente. En la Librería El Ateneo (Florida 340), una de las mejores de la ciudad, aún crujen los antiguos pisos de madera. En Florida 460 está la Sociedad Rural, cenáculo tradicional y elitista que funciona en una antigua mansión familiar de 1910. La Confitería Richmond (Florida 466) es un oasis que poco y nada ha cambiado en sus ochenta años: sillones ingleses, *boisserie* de roble de Eslavonia y arañas de bronce. Galerías Pacífico es el edificio más destacado de la peatonal. Fue proyectado en 1889 para ser galería comercial según el modelo de los

● Museo Histórico del Banco de la Provincia de Buenos Aires
◗ Sarmiento 362.
◗ Tel.: 4331.1775
◗ Horario: lunes a viernes, 10.00-18.00; domingos, 14.00-18.00.
◗ El banco emitió los primeros billetes argentinos y uruguayos. Se exponen dos maquetas de la zona bancaria: una de la ciudad tal como era en 1880 y otra en 1985.

● Basílica de la Merced
◗ Reconquista esquina Perón.
◗ Tel.: 4331.0391
◗ Horario: lunes a viernes, 8.30-19.00; sábados, 18.30-20.00; domingos, 11.00-12.00.

● Santa Catalina de Siena
◗ San Martín esquina Viamonte.
◗ Tel.: 4311.1543
◗ Horario: lunes a viernes, 8.00-14.00 y 16.30-19.30; sábados, 18.30-20.30; domingos, 10.30-12.30 y 18.30-20.30.

7

● Galerías Pacífico
▸ Florida 753.
▸ El shopping más elegante de Buenos Aires.

● Galería Buenos Aires
▸ Florida 835.
▸ Escondite de libreros de usado (temas rioplatenses y gauchescos).

● Galería del Este
▸ Florida 846 y Maipú 971.
▸ Libros y anticuarios.

■ La calle Florida no debe su nombre a la pascua florida (como la península de Miami) sino a una batalla librada el 25 de mayo de 1814 en un pueblito del Alto Perú.

● Plano: D-5
● Colectivos: 22, 33, 61, 62, 130, 152.
● Subte: Leandro N. Alem (B).

pasajes europeos del siglo XIX. A partir de 1908 se instalaron las oficinas del Ferrocarril Buenos Aires al Pacífico, de allí su nombre. Tras muchos años de abandono, Galerías Pacífico fue brillantemente reciclado como paseo de compras. La espaciosa cúpula central, de 1945, está decorada con pinturas de Castagnino, Berni, Spilimbergo, Colmeiro y Urruchúa. Este refinado bazar es también sede del Centro Cultural Borges.

La Galería del Este guarda recuerdos de Borges. Ya ciego, los versos que componía mentalmente fueron dictados en el Café de las Artes. El poema *La rosa profunda* fue escrito y corregido en la Librería La Ciudad. Al desembocar en la entrada de Maipú hay un mural que sugiere itinerarios borgeanos. Borges vivió enfrente, en Maipú 994 (terraza del sexto piso). Fue su último domicilio y allí concibió la mayor parte de su obra, entre 1949 y 1985. Florida al 800 está dominada por las vidrieras de Harrods, de 1918, que fue la tienda más tradicional de la Argentina. En la esquina de Paraguay abre sus puertas la confitería Florida Garden, de los años 60, heredera de la antigua costumbre de mostrarse en la calle Florida. En torno de esta encrucijada se venden mates, facones, cinturones tachonados de monedas y otros *souvenirs* gauchescos, mientras los pregoneros del *good leather* salen al paso de los transeúntes que no demuestran tener aspecto de porteños.

La avenida Leandro N. Alem es una de las más distintivas de Buenos Aires. Las modernas oficinas han hecho desaparecer el ambiente prostibulario, los antiguos bares, hoteles portuarios y tiendas de ropa barata que caracterizaron el "barrio con lucidez de pesadilla" de Borges. La vereda cubierta por soportales se remonta a 1868, cuando un vecino creyó oportuno extender las arquerías de la Plaza de Mayo a su propiedad de Rivadavia y 25 de Mayo. Sólo prosperó la recova Oeste, ya que del otro lado se extendía el río. Mientras las enormes tipas evocan la antigua Alameda de Buenos Aires, dos edificios notables que escoltan la subida de la calle Perón delatan aquella perdida costanera: la torre del suntuoso Palace Hotel –hoy claustro universitario muy desatendido– contaba con un faro y terraza para ver llegar los barcos. En la esquina opuesta tuvo sus oficinas la mítica naviera rioplatense Mihanovich. Bajo su ostentoso pináculo antiacademicista, una ventana circular muy visible servía de apostadero a un vigía que se mantenía alerta a la llegada de los barcos.

■ El Monumento a Juan de Garay se levanta frente a la explanada de la Casa de Gobierno. Desde su pedestal señala el suelo donde trazó la ciudad que venía a fundar, frente al solar que él mismo se adjudicó en el reparto de tierras. Nunca edificó residencia en Buenos Aires. Tan pronto como llegó de Asunción marchó hacia el sur –allí dirige su mirada– en busca de la no menos utópica Ciudad de los Césares.

La recova acompaña la babel arquitectónica de los edificios y reviste mayor interés desde Lavalle (estilo flamenco del edificio Bunge & Born) hasta Rivadavia. Hay que destacar el neogótico de Sarmiento y Alem, de 1926 (del mismo autor que la Basílica de Luján) la afrancesada Bolsa de Comercio, de 1916, y el austero racionalismo del Comega, en la esquina de Corrientes, el primer rascacielos del Bajo. La recova del Archivo General de la Nación (L. N. Alem 246), con su cielo raso artesonado, inaugura la ringlera de faroles bajo soportales que prenuncia el ámbito de la Plaza de Mayo. El edificio mejor plantado del Bajo es el Palacio de Correos, de estilo académico, con su escalinata abierta a los pamperos y sudestadas. Data de 1928. El gran salón de atención al público mantiene intacto el equipamiento original.

TEATRO COLÓN

La idea de contar con un teatro lírico de proyección internacional convenía muy bien a la importancia creciente de Buenos Aires. Fue inaugurado oficialmente en 1908 con la representación de la ópera *Aída*, de Verdi. El exterior responde al academicismo italiano pero la decoración interior es francesa. El entorno urbano contribuye a destacar plenamente su belleza arquitectónica y ornamental; pero es en el interior donde el Teatro Colón demuestra su excelencia.

Está considerado técnicamente perfecto desde el punto de vista acústico y lumínico. La Sala, lujosamente decorada, posee forma de herradura y está rodeada de seis niveles de palcos y galerías. En los eventos más concurridos puede albergar hasta 4.000 espectadores. Los frescos de la cúpula fueron realizados por el pintor argentino Raúl Soldi. La araña central tiene 700 lámparas y pesa 2,5 toneladas. Halls, salones y escaleras exhiben detalles de suntuosa decoración: mármoles, esculturas, mobiliario, pesadas arañas de bronce, vitrales, estucos y detalles en oro laminado. En el hall principal se exhiben las batutas de Toscanini y Manuel de Falla, y el bastón de Puccini; también una colección de instrumentos famosos. El programa anual satisface todos los gustos en materia operística y sinfónica y se enriquece con la presencia de intérpretes y directores de renombre internacional. El Teatro alberga además su propia Orquesta, el Coro y el Ballet estables.

- Plano: C-4
- Libertad 621.
- Cartelera y boletería: Tucumán 1171.
- Tel.: 4378.7300.
- Horario: lunes a domingos, 10.00-20.00. Colectivos: 67, 100, 102.
- Subte: Tribunales (D).
- Visitas guiadas: incluyen salas de ensayo, vestuarios y talleres de escenografía.
- Tel.: 4382.6632.
- Horario: lunes a viernes, 9.00-16.00 (cada hora); sábados, 9.00-12.00 (cada hora).
- Entrada $ 5.
- En el Salón Dorado tienen lugar eventos de difusión cultural.

PLAZAS SAN MARTÍN Y CARLOS PELLEGRINI

La Plaza San Martín es el Campo de Marte porteño. Sirvió de polvorín y campo militar del Escuadrón de Granaderos adiestrado por el propio San Martín (1812). En 1883 perdió su antigua Plaza de Toros y ganó la parquización de jacarandaes, gomeros y pinchudos paloborrachos que florecen como orquídeas. Ampliada luego hasta la barranca del Bajo, esta plaza-parque es el centro del ambiguo territorio de Retiro. El bajo Retiro es barrio ambulante regido por el tráfico de colectivos, ómnibus y trenes suburbanos. En un antiguo galpón de cargas funciona el Museo Nacional Ferroviario, que exhibe objetos de uso en estaciones y vagones durante la época de oro del ferrocarril. El alto Retiro es lugar de oficinas y hoteles elegantes, boutiques de *souvenirs*, compañías de aviación y galerías de arte. Dominando una amplia perspectiva de la plaza se destaca el Monumento al general San Martín, inaugurado en 1862. El prócer señala con el brazo extendido la Cordillera de los Andes que atravesó con su ejército para liberar a Chile y Perú del dominio español.

La Torre de los Ingleses mide 76 metros de altura y es regalo de los residentes ingleses para el Centenario argentino (1916). Fue levantada en la Plaza Britania, con materiales, técnicos y obreros ingleses. Tras la Guerra de Malvinas (1982), aquel homenaje dio paso al resentimiento y la torre enemiga y su plaza perdieron el derecho al nombre. En 1990, en el jardín de la Plaza San Martín, se levantó el Cenotafio de los Combatientes

- Plano: D-4
- Colectivos: 10, 17, 33, 45, 61, 62, 100, 130, 152.
- Subte: San Martín (C).

■ En Plaza San Martín comienza la avda. Santa Fe, el gran paseo de compras de Buenos Aires, y la Avda. del Libertador, que se dispara hacia los elegantes suburbios del litoral metropolitano.

■ Un ermitaño que buscó refugio lejos de la ciudad dio nombre al barrio del Retiro. Las primeras quintas de Buenos Aires estuvieron en El Retiro, donde a partir de 1713 hubo un mercado de esclavos regenteado por ingleses.

● Museo Ferroviario
◗ Avda. del Libertador 405.
◗ Tel.: 4318.3343
◗ Subte: Retiro (C).
◗ Horario: lunes a viernes, 9.30-16.00.

● Museo de Armas de la Nación
◗ Avda. Santa Fe 750.
◗ Tel.: 4311.1071
◗ Horario: martes a viernes, 14.30-19.00; sábados y domingos, 14.00-18.00.
◗ Entrada: $ 2.

● Santísimo Sacramento
◗ San Martín 1039
◗ Tel.: 4331.0391
◗ Horario: lunes a sábados, 7.00-12.00 y 16.00-20.00; domingos, 8.00-12.00 y 16.00-20.00.

■ El Santísimo, El Socorro y El Pilar son las iglesias preferidas de la aristocracia y el *jet set* porteños para celebrar sus casamientos.

Argentinos de Malvinas. El Palacio San Martín (1905-1909) es sede ceremonial del Ministerio de Relaciones Exteriores y Culto. Guarda su estilo francés pero con licencias eclécticas que lo acercan al *art nouveau*. El Patio de Honor, con su estupendo portal, daba acceso a tres viviendas que componían el primitivo palacio de los Anchorena, familia de prosapia porteña. De la misma época es el Palacio Paz, hoy ocupado por el Círculo Militar y el Museo de Armas. Este pequeño Louvre fue mandado diseñar en Francia por el dueño del diario *La Prensa*.

El edificio Kavanagh (Florida 1065), concluido en 1936, pertenece a la segunda generación de rascacielos porteños. Es considerado el mayor logro del racionalismo rioplatense (☛ 86). Su inconfundible perfil facetado domina el paisaje de la Plaza San Martín. Aunque fue proyectado con un criterio económico –para asegurar a su propietaria (Corina Kavanagh) una renta perdurable–, es un edificio aristocrático. El tradicional Plaza Hotel, inaugurado en 1909, es decano de los hoteles porteños en funcionamiento y preferido de los reyes y deportistas que visitan la Argentina. Entre el Kavanagh y el Plaza, un breve pasaje desemboca en la Basílica del Santísimo Sacramento, mandada construir por la familia Anchorena en 1916. Sin estilo definido, es una de las iglesias más lujosas de Buenos Aires, ejecutada con materiales elegidos según el gusto de un prior dispendioso.

El edificio Estrougamou, construido en 1929, conforma la cuadra más francesa de Buenos Aires (Juncal al 700). Pidiendo permiso, se puede ingresar por Esmeralda 1319, donde una réplica de la Victoria de Samotracia decora un típico "patio de aire y luz" porteño, acaso el más pituco de la ciudad. Aunque se trata de un consorcio de viviendas, se lo llama "palacio", rótulo que adquieren los mejores edificios academicistas de Buenos Aires. Allí comienza uno de los paseos arquitectónicos más calificados de la ciudad. Conduce a La Recoleta (☛ 57) y permite admirar suntuosos edificios de departamentos y lujosas residencias familiares. Un buen consejo es comenzar por la calle Arroyo. La curva que tuerce el rumbo a mitad de cuadra es una licencia extraordinaria, casi irrepetible en Buenos Aires. Sucede frente a la Torre Mihanovich. Ésta fue la primera de la ciudad (1928), reemplazando como faro urbano al edificio Barolo. Remata en una gran pirámide que hay que descubrir a través de alguna rendija urbana. Sitiado por edificios más altos y menos interesantes, la casona Museo Fernández Blanco (☛ 79) no ha perdido dignidad arquitectónica.

La Plaza Carlos Pellegrini es el ámbito más parisino de Buenos Aires, dominado por las mansardas oscuras de sus palacios y sus estupendas farolas. Allí se levanta la Embajada de Francia (1913), uno de los altos exponentes del estilo francés local versión Luis XIV. Este palacio y sus vecinos, el Álzaga Unzué (1919) y la casa Atucha, vencieron a las topadoras de la avenida 9 de Julio. El Palacio Pereda (1919-1936) fue proyectado en Francia según el modelo del Museo Jacquemart-André de París. La Plaza Carlos Pellegrini

■ El Plaza fue el primer hotel del país con servicio de ascensores, teléfonos en las habitaciones, calefacción y agua caliente central. El sistema de refrigeración del comedor era novedoso: el aire impulsado por ventiladores era refrescado por barras de hielo estratégicamente colocadas.

■ Con 120 metros de altura y 30 pisos, el Kavanagh llegó a ser el edificio más elevado del mundo y el primero con estructura de hormigón armado y climatización central.

- Plano: C-4
- Colectivos: 67, 130.

■ La ruta de los palacios es paseo para disfrutar puertas afuera, ya que las residencias no se pueden visitar.

- Palacio Pereda
  - Arroyo 1130.

- Palacio Ortiz Basualdo
  - Cerrito 1390.

- Residencia Atucha
  - Arroyo 1099.

- Palacio Álzaga Unzué
  - Cerrito 1433.
  - Puede visitarse por pedido y de acuerdo con el uso de salones y habitaciones del Hyatt Hotel (tel.: 4321.1234).

- Palacio Unzué de Casares
  - Avda. Alvear 1345.
  - En el salón del aristocrático Jockey Club se produjo, en 1919, el lanzamiento artístico de Benito Quinquela Martín, el pintor de La Boca.

(también llamada plazoleta por su forma triangular) resulta el rincón urbano más apropiado para comprobar el esplendor del desaparecido modo de vida palaciego porteño. Cuando las mansiones de la *belle époque* se volvieron costosas de mantener fueron convertidas en embajadas y hoteles de lujo. La Embajada de Francia adquirió el palacio Ortiz Basualdo. El Palacio Pereda fue ocupado por la Embajada de Brasil; el Unzué de Casares, por el aristocrático Jockey Club, y la mansión Álzaga Unzué, reciclada para alojar las suites del Hyatt Hotel.

La avenida Alvear confirma su tradición palaciega. La cuadra del 1600 está ocupada por tres mansiones que se cuentan dentro de la mejor arquitectura privada de la época: la Embajada de la Santa Sede (1909), donde se alojó el papa Juan Pablo II; el Palacio Duhau, de estilo clásico tardío (1934), y el Palacio Hume, más ecléctico (1890). En el jardín de la ochava, un vigoroso gomero cubre con sus ramas toda la bocacalle de Rodríguez Peña y Alvear. En la cuadra siguiente puede reconocerse el Alvear Palace Hotel. Fue inaugurado en 1931 y lo caracterizan suntuosos salones de estilo *belle époque*. La Galería Alvear es un distinguido paseo comercial que penetra en el ajardinado corazón de la manzana y desemboca en la calle Posadas a través de un corto pasaje animado por oficios típicamente barriales: cerrajero de urgencia, zapatero remendón, costurera. El camino a La Recoleta cuenta con el atractivo adicional del shopping Patio Bullrich, valioso edificio reciclado que sirvió antiguamente como casa de remates de ganado. Otros desvíos son posibles, ya que todo el barrio ha sido edificado con gran calidad.

La Recoleta

Barrio distinguido de Buenos Aires, que palpita en torno de la Iglesia del Pilar y de los numerosos lugares de comida, bares y cines que rodean al cementerio más honorable de la Argentina (☛ 59). El origen de La Recoleta es una chacra apartada de la ciudad que fue donada a los frailes franciscanos. La epidemia de 1871 despobló la ciudad y consolidó el crecimiento de este arrabal, que se convirtió en suburbio de quintas y más tarde en barrio aristocrático y de entretenimiento. Dos avenidas elegantes conducen a La Recoleta: Quintana y la palaciega Alvear.

La Basílica del Pilar es la iglesia más colonial y la mejor conservada en su estilo original de toda la ciudad. Fue edificada entre 1724 y 1732 como templo del Convento de los Recoletos Franciscanos. En 1822 los monjes fueron despojados del claustro, convertido entonces en hospicio. El frente nunca adquirió una segunda torre; en su lugar exhibe una doble espadaña coronada con un reloj esférico. El pórtico y el forro azulejado del chapitel son agregados posteriores. El retablo del altar mayor es obra maestra del barroco altoperuano. Un precioso San Pedro de Alcántara, en madera, también podría ser de origen altoperuano o cuzqueño (algunos lo atribuyen al escultor Alonso Cano, discípulo de Velázquez). Los altares laterales fueron ejecutados por un tallista portugués. Según la tradición, el Altar de las Reliquias y el Cristo Crucificado –atribuido a Juan Martínez Montañés, maestro de Cano– fueron obsequiados por el rey Carlos III de España.

10

● Plano: C-3
● Colectivos: 10, 17, 61, 62, 67, 102, 130.

● Iglesia del Pilar
▸ Junín 1898.
▸ Tel.: 4803.6793
▸ Horario: lunes a viernes, 7.30-13.00 y 16.00-20.30; sábados y domingos, 7.30-20.30.

■ Se llamaba Recoleta a un lugar de retiro monástico apartado y extramuros.

■ Los fondos para levantar la iglesia conventual fueron provistos por un acaudalado constructor aragonés, Juan de Narbona, quien la puso bajo la advocación de la Virgen del Pilar de Zaragoza.

10

■ Mostrarse, pasear y divertirse en La Recoleta tiene su antecedente en las romerías del Pilar y de San Pedro de Alcántara, muy populares hacia 1820.

■ El gomero es un árbol originario de la India, que se aporteña con facilidad. Los ejemplares más vigorosos se encuentran en Plaza Francia, en Plaza San Martín de Tours y en la vereda de La Biela, el tradicional café de La Recoleta que adquirió celebridad como sitio para ver y ser visto (Avda. Quintana 596).

El claustro del convento, lindero a la basílica, fue reciclado hacia 1980 y convertido en el Centro Cultural Recoleta, donde tienen lugar exposiciones sobre el quehacer artístico de vanguardia. Los pabellones del antiguo asilo de pobres y mendigos se transformaron en una galería posmoderna de objetos suntuarios: el Buenos Aires Design, muy visitado para estar al tanto de lo que se usa en materia de decoración. El recorrido desemboca en una espléndida terraza panorámica que refuerza el carácter gastronómico y paseandero del barrio. Los fines de semana, el prado de la Plaza Alvear reúne a feriantes, artesanos y toda suerte de oficios y rebusques callejeros.

Antes de convertirse en salón de ferias y exposiciones, el Palais de Glace fue cabaret de tango, pionero en introducirlo en los salones porteños (1912). Enfrente se levanta el Monumento al general Alvear (1926), obra cumbre del escultor francés Antoine Bourdelle (1861-1929) y de la estatuaria porteña. Remontando Plaza Francia –allí se encuentra el monumento obsequiado por ese país a la Argentina en 1910– se alcanza la loma Mitre, barrio de geografía privilegiada, defendido del bullicio urbano por jardines, escaleras públicas y balaustradas, desde donde se contempla la Biblioteca Nacional. Este llamativo edificio simboliza la cultura del libro y también la desidia estatal: fue proyectado en 1961 y tardó 30 años en ser construido y no totalmente (1972-1992). La obra fue emplazada en el parque del antiguo palacio presidencial, donde murió Evita en 1952.

Cementerio de La Recoleta

11

El cementerio mítico de Buenos Aires. Alberga tumbas de importancia histórica y escultórica, donde yacen próceres argentinos (no todos), familias de prosapia de la sociedad porteña y algunos *parvenu* de nuestros días. En 1822 (fecha en el piso del peristilo) fue expropiado el convento recoleto y en el huerto de los monjes se levantó el Cementerio del Norte, hoy de La Recoleta. En 1863 pasó de ser camposanto a cementerio laico común, cuando por orden judicial fue sepultado un suicida, considerado interdicto por la ortodoxia religiosa. La urbanización y el trazado definitivo de sus calles data de 1881, fecha también grabada en el piso del peristilo. Entonces comienza a desarrollarse la fastuosa arquitectura funeraria que lo caracteriza y sitúa dentro de la generación de los románticos cementerios europeos del siglo XIX.

Once medallones de carácter simbólico fueron esculpidos en el friso del peristilo neoclásico. No resultan fáciles de ver a simple vista. Se trata de símbolos tradicionales que aluden a la muerte (dos alas abiertas, un uroboros, una clepsidra, una lechuza, etc.). En la capilla se encuentra el famoso Cristo del escultor Giulio Monteverde, maestro de Lola Mora en Roma. Junto a la medianera de la Iglesia de El Pilar se ubican las tumbas más antiguas del cementerio. Rosas y Sarmiento, apasionados antagonistas políticos, tuvieron una relación obsesiva con el cementerio. Rosas lo remodeló y fue quien ordenó sepultar allí a Facundo Quiroga, emboscado y asesinado en

- Plano: C-3
- Junín 1760.
- Tel.: 4804.7040
- Colectivos: 10, 17, 60, 61, 62, 67, 102, 130.
- Horario: lunes a domingo, 7.15-18.00.
- Visitas guiadas: último domingo de mes, 14.30.
- Entrada gratis.

■ Montaigne veía con buenos ojos el familiarizarse con la muerte, situando idílicamente los cementerios junto a las iglesias y en los lugares más frecuentados de la ciudad.

11

1835. El cadáver de este caudillo riojano, sin féretro, está embalsamado y de pie, amurado en el monolito, tal como fue su deseo. La bóveda se ve coronada por la imagen de La Dolorosa, de Tantardini, imitada por artistas menores en otras tumbas de La Recoleta. Los restos de Rosas fueron repatriados de Inglaterra en 1989 y descansan en la bóveda de la familia Ortiz de Rozas. Sarmiento –militar, educador, escritor, viajero y presidente argentino– fue embalsamado. Antes de ocupar su última morada fue depositado en la tumba de su hijo adoptivo Dominguito, muerto en la Guerra del Paraguay, cuyo sepulcro, emplazado en este mismo cementerio, fue diseñado por el propio Sarmiento.

■ La joven María Eva Duarte (1919-1952) surgió a la fama cuando se casó con Juan Domingo Perón (1899-1974), elegido presidente en 1946 y derrocado en 1955. A su lado se convirtió en Evita, figura idolatrada por la clase trabajadora ("los descamisados de Perón"). Evita impulsó la ley que permitió el voto femenino.

La tumba de Evita se encuentra en el panteón de la familia Duarte. Es la tumba más buscada y visitada del cementerio pero, exceptuando el mito, carece de interés. Tras un multitudinario velatorio en el Congreso Nacional, su cadáver fue depositado en custodia en la central obrera (CGT), donde se completó su embalsamamiento en espera de un mausoleo que nunca se construyó. La historia secreta de Evita comenzó con la desaparición de su cadáver. Durante muchos años permaneció oculto anónimamente en un cementerio italiano. Finalmente le fue entregado a Perón, quien repatrió los restos en 1973. A fin de evitar profanaciones, la abanderada de los pobres descansa a nueve metros bajo tierra. En el aristocrático barrio de La Recoleta, la tumba de Evita es más visitada por los turistas que por los argentinos.

La discreción y la reserva ante el dolor alejan a La Recoleta de cualquier comparación con las ardorosas expresiones fúnebres de otros cementerios porteños. La Recoleta tampoco es pródiga en epitafios, salvando la placa firmada por Borges en homenaje a Elvira de Alvear y la elegía que Joseph Crociati dedicó a la memoria de su hija Liliana, trágicamente fallecida durante su luna de miel en Austria. En cambio, el cementerio es rico en imágenes alegóricas, calaveras con tibias cruzadas, escarabajos de vaga estirpe egipcia, teas que arden boca abajo (símbolo masón, según algunos). Merecen una visita los ángeles de Jules Coutan, en la tumba de José C. Paz, y las esculturas de Lola Mora que decoran el mausoleo López Lecube. La artista tucumana firma allí con su apellido de casada.

El visitante querrá apartarse de los monumentos conmemorativos, aunque sin desmerecerlos, y prestará oídos a la historia no oficial del cementerio. Se dice que en la tumba de Mariquita Sánchez de Mendeville –en cuya casa se cantó por primera vez el Himno Nacional– fue enterrado un nieto de Napoleón. La joven Rufina Cambaceres, víctima de un ataque cataléptico, halló su muerte definitiva la noche que fue dejada en el depósito del cementerio en espera de ser llevada a la bóveda familiar. En la puerta de este precioso monumento *art nouveau*, una joven mujer abandona el sepulcro cerrando la puerta tras de sí. La bóveda de Alfredo Gath –fundador de las tiendas Gath & Chaves– pertenece a una época en que el terror a ser enterrado vivo era común. Gath habría ordenado que su cuerpo fuese conectado a un dispositivo de llamada para el caso de un retorno inesperado.

■ La Recoleta tiene 4800 bóvedas distribuidas en 5,5 hectáreas. Las bóvedas fueron concedidas a perpetuidad. No están sometidas a compraventas ni pagan impuestos, salvo los destinados a manutención y limpieza.

■ El primer difunto enterrado en La Recoleta fue un niño negro liberto.

12

PALERMO Y SUS PARQUES

- Plano: A-1
- Colectivos: 67, 130.

■ La mansión de Rosas fue demolida en 1899. Sólo quedó en pie el Aromo del Perdón, junto al cual la hija del caudillo suplicaba a su padre por la vida de sus adversarios políticos.

■ El monumento al presidente Sarmiento es obra de Rodin. Fue inaugurado en 1900, cuando el escultor francés tenía 60 años.

■ Benito el africano fue llevado a Sicilia como esclavo en el siglo XVI y luego declarado libre. El siciliano Palermo introdujo su devoción y levantó un oratorio para rezo de los esclavos negros del lugar.

La creación del Parque Tres de Febrero está dominado por las figuras de Juan Manuel de Rosas –dictador para unos, restaurador de leyes para otros–, y del presidente Domingo Faustino Sarmiento. Un siciliano de apellido Palermo cultivó con vides los bajos ribereños que más tarde fueron avenados por Rosas. Éste jerarquizó aquellas tierras anegadizas, inspirando la idea de un gran parque arbolado y lacustre. El estanque de su quinta fue el primer lago de Palermo, y sus especies exóticas, el primer jardín botánico de Buenos Aires. La casona tuvo también el primer zoológico. Expropiada tras el ocaso político de Rosas, en 1852, albergó la primera exposición rural, en 1858. Lo que Rosas mejoró y embelleció a título personal Sarmiento lo realizó en bien público. La mansión de Rosas fue arrasada y en su lugar se levantó el Monumento a Sarmiento, su enemigo declarado. Sarmiento, que había visitado muchos parques en Europa y los Estados Unidos, propuso crear un gran parque en aquel paraje. Se le objetó que quedaba demasiado lejos de la ciudad. En 1890 el paisajista Charles Thays proyectó el trazado definitivo del único pulmón verde que tiene Buenos Aires a la medida de su importancia urbana.

El parque ofrece múltiples atractivos. El Rosedal es un paseo pintoresco junto al Lago de Palermo. Allí se pueden alquilar botes a pedal. Enfrente, el antiguo Hostal del Ciervo fue convertido en sede del Museo Sívori de artes plásticas. El Jardín Japonés responde a la idea que el visitante tiene de estos paseos de puentecitos curvos y estanques repletos de percas glotonas. Cuenta además con interesantes especies botánicas. El Planetario fue concebido para mirar el cielo de otra manera. Sus instalaciones para espectáculos de interés astronómico son muy concurridas. El elegante Hipódromo de la *belle époque*, inaugurado en 1876, confirma la pasión de los porteños por el turf. Sus tribunas, confitería, salones y galerías, de gran valor arquitectónico y decorativo, fueron completados en 1908. Para pasear con tranquilidad por el parque es mejor evitar el fin de semana, cuando se vuelve merendero popular. Un atolladero de ciclistas, patinadores, gimnastas, futbolistas, excursionistas y paseanderos lo visitan para tomar mate, leer el diario o dar una vuelta sin bajarse del auto. En bicicleta, en colectivo o simplemente caminando, el bosque se prolonga hacia Belgrano, con el Lago del Parque y sus avenidas de tipas. Lagos y arboledas albergan unas 200 especies de aves, entre naturales, migratorias y adaptadas al medio tras haber escapado del cautiverio urbano. Bajo el largo viaducto de arcos enladrillados surge una nueva generación de discotecas: Los Arcos y el Paseo de la Infanta. Estos bares y boliches de diversión nocturna renuevan el interés por la moda de entretenerse en el parque.

El Monumento de los Españoles fue obsequiado por la comunidad peninsular en el centenario de 1810. La Infanta Isabel de Borbón puso la piedra fundamental a su debido tiempo, pero el monumento se inauguró recién en 1927. Las desgracias se sucedieron una tras otra: dos de sus escultores fallecieron durante la obra; los mármoles se demoraron por huelgas en las canteras de Carrara; los bronces fueron embargados en Barcelona y una vez embarcados se perdieron en

■ Dos nombres para un mismo lugar: en el uso porteño, Palermo es topónimo ferroviario (estación de tren y subte); el Palermo de los colectivos es Puente Pacífico, nombre que proviene del antiguo ferrocarril a Chile que pasaba por allí.

■ El monumento de Giuseppe Garibaldi en Plaza Italia fue inaugurado en 1904. Es réplica de uno similar erigido en Brescia. Este aventurero italiano participó de las luchas militares que protagonizaron las principales facciones del Río de la Plata.

12

- Plaza Italia
- Plano: A-2
- Colectivos: 29, 59, 60, 64, 67, 152.
- Subte: Plaza Italia (D).

■ Charles Thays (1849-1934) proyectó más de 150 parques y jardines argentinos, entre ellos los mejores paseos públicos de Buenos Aires, Córdoba, Mendoza y Tucumán.

- Jardín Zoológico
- Avda. Las Heras esquina avda. Sarmiento.
- Tel.: 4806.7412
- Horario: lunes a viernes, 9.30-16.00.
- Entrada: $ 4. Menores gratis.

En la puerta del Zoo,los mateos languidecen en espera de sus nostálgicos pasajeros. Conservan la tradición del fileteado, decorado de autor que engalanaba carruajes y colectivos porteños de antaño.

un naufragio. A pesar de todo, es uno de los monumentos más impactantes de Buenos Aires. Está dedicado a la Carta Magna y a las regiones nacionales: el Plata, los Andes, la Pampa y el Chaco.

La epidemia de 1871 confirmó la expansión de la ciudad en dirección a Palermo y Belgrano (☛ 81), donde muchos porteños tenían sus quintas. Así el barrio fue haciéndose metrópoli en la periferia del Parque. En la encrucijada de Plaza Italia abren sus portales el Zoológico, el Jardín Botánico y el Predio Ferial donde cada año se lleva a cabo La Rural, la exposición más tradicional de la Argentina. El Zoológico data de 1888. Está concebido con el criterio de jaula, donde el hogar de los animales no responde a su medio ambiente más que en lo puramente escenográfico. A fines del siglo XIX se creía que la diversidad animal debía tener su correlato con la estética arquitectónica. Así nació el cobijo exótico al servicio de la zoología: un palacete amoriscado para la jirafa, una réplica de un templo hinduista de Mumbai para el elefante (de 1904, el mejor edificio asiático que hay en Buenos Aires). Hay pagodas, templetes egipcios y un Templo de Vesta que sirvió como sala de lactancia de los niños que visitaban el paseo. La jaula de los cóndores es bien porteña: se trata de un gran armazón de hierro construido en 1900 para iluminar la Pirámide de Mayo. Sucesivas mudanzas de animales provocaron algunas confusiones en materia de hábitat: el pabellón indostánico alberga a los camélidos de la Puna, y los monos disponen de un cómodo patio andaluz. Los osos fueron desalojados de un castillo nórdico, donde se ha recreado el clima de las selvas argen-

tinas, con su atmósfera pegajosa, sus plantas y bichos. Frente al Zoológico se encuentra el Jardín Botánico, proyectado por el prolífico Charles Thays en 1892 y abierto al público en 1898. Está dedicado a la flora regional argentina y exótica de otros lugares del mundo. Gracias al buen clima porteño, cualquier época del año es apropiada para visitar esta selva urbana. El invernáculo fue armado allí mismo después de haber sido premiado en la Exposición Internacional de París de 1889. El Jardín Romano fue ideado según las especies que Plinio el Joven había plantado en su villa latina.

● Jardín Botánico
◗ Avda. Santa Fe 3951.
◗ Tel.: 4832.1552
◗ Horario: 8.00-18.00.
◗ Entrada gratis.

Palermo es uno de los barrios más extensos y heterogéneos de la ciudad. No existe, en rigor, un Palermo único, sino varios. Palermo Chico es el barrio más aristocrático y exclusivo de Buenos Aires. El trazado curvo de sus calles invita a descubrir sus caserones de diversos estilos y rodeados de jardines, siendo elegidos por los gobiernos extranjeros para alojar allí sus embajadas y residencias diplomáticas. Palermo Viejo, en cambio, comenzó su revalorización en los años 70, cuando viejos depósitos y talleres mecánicos fueron convertidos en anticuarios, teatros de autor y cafés de tertulias culturales. Las casas-chorizo (☛ 85), tantas veces demolidas, comenzaron a ser redescubiertas por los neoporteños que propician una vuelta a los zaguanes ajedrezados y al patio de malvones y santarritas. No es barrio *city tour*, no hay museos ni monumentos que visitar, sino calles arboladas y pasajes(☛ 83). El centro energético se sitúa alrededor de la placita de Honduras y Serrano, rodeada de bares *sui generis*, muy animados de tarde y de noche por una concurrencia joven y dispuesta a divertirse.

● Palermo Chico
● Plano: B-2
● Colectivos: 67, 102, 130.

■ En la plaza Grand Bourg hay una réplica ampliada de la casa donde vivió San Martín en Francia.

● Palermo Viejo
● Plano: b-IV
● Colectivos: 39 (ramal Palermo Viejo), 55, 168.
● Subte: Plaza Italia (D).

■ El viejo Palermo es el barrio mitológico de Borges. En la manzana de Serrano, Paraguay, Guatemala y Gurruchaga, situó su "Fundación mítica de Buenos Aires".

13

COSTANERA Y PUERTO MADERO

● Avda. Costanera Sur
● Plano: E-6
● Colectivo: 2 (desde avda. Belgrano y avda. Paseo Colón).

■ Se ha dicho que el Río de la Plata es una pampa líquida. Según Borges, "un río tan lento que la literatura ha podido llamarlo inmóvil".

■ El Monumento a España fue inaugurado en 1936. Pueden reconocerse en él las figuras del Descubrimiento y la Conquista.

● La Reserva Ecológica nació de un baldío de escombros y basura "ganado" al río para delicia de los biólogos urbanos, que vieron proliferar allí bichos y yuyos.
● Plano: E-6
◗ Tel.: 4315.1320/4129
◗ Horario: lunes a domingo. 8.00-18.00.
◗ Visitas guiadas.

Se puede pasear mucho y bien por Buenos Aires sin toparse con el Río de la Plata. Ningún parque ni barrio asoma a sus orillas. La primeras casas que se construyeron en la ciudad le daban la espalda; allí se arrojaron los primeros desperdicios urbanos. Todos los proyectos que pretendieron acercar el río a la ciudad fracasaron o desaparecieron: la Plaza Mayor de Garay, el Paseo de la Alameda, el Balneario Municipal, la Ciudad Deportiva de Boca. El "mar espumoso" de la heráldica porteña se ha ido ocultando concienzudamente detrás de los rellenos y edificios. El Balneario Municipal fue el gran paseo veraniego de principios de siglo. Separado del río, conservó sus arboledas y el nombre de Costanera Sur, muy animado por el picnic dominical y las parrillas populares. De las lustrosas confiterías de antaño sólo la legendaria Munich fue salvada como Museo de Telecomunicaciones. En el extremo sur se levanta la Fuente de las Nereidas, realizada en Roma por la escultora Lola Mora, en 1902. Fue concebida para adornar la Plaza de Mayo, pero sus desnudos se consideraron impropios de un paseo catedralicio y fue erradicada.

La Costanera Norte es una avenida arbolada de tránsito rápido, más contagiada del movimiento de aviones que de barcos. El domingo es muy concurrida como paseo de pesca y picnic urbano. El edificio emblemático sigue siendo el Club de Pescadores, curioso chalet sobre palafitos (1937). Su muelle marca el comienzo de la verdadera Costanera. Para observar el río libremente hay

que caminar frente al Aeroparque hasta Puerto Norte (dársena de veleros). En ambos extremos del Aeroparque, la ciudad reniega del río, que ha sido invadido por galpones, piscinas, y complejos gastronómicos, llamados todavía Carritos por los improvisados carromatos que antiguamente ofrecían *choripán* (sándwich de chorizo) al paso. Perseguidos por las ordenanzas municipales, se convirtieron en megarestaurantes de parrilla y cocina internacional, meta de los porteños que añoran redescubrir el río. En las cabeceras de la pista del Aeroparque se puede contemplar de cerca el despegue y aterrizaje de los aviones.

Puerto Madero nació y murió como puerto, pero revivió como el mayor emprendimiento inmobiliario de la capital: el reciclaje de sus *docks* abandonados y transformados en *lofts*, oficinas y restaurantes *fashion* y espacios de arte. Mientras que la arquitectura porteña *fin de siècle* se complacía en su menú de estilos, estos galpones fueron fieles a la arquitectura utilitaria inglesa del ladrillo. Puerto Madero es el último barrio oficial de Buenos Aires, el menos poblado y el más caro de la ciudad.

"Abrir puertas a la tierra" fue la meta de la empresa fundacional de Garay, quien bautizó con el nombre de Buenos Aires al puerto, no a la ciudad. La ubicación del puerto era comercialmente deficiente, pero los bajíos formaban defensas naturales contra los piratas, a punto tal que desde el Fuerte jamás fue necesario disparar un solo cañonazo. Hacia 1880 la ciudad se modernizaba vertiginosamente, pero los pasajeros que llegaban del exterior debían alcanzar la orilla chapotean-

● Avda. Costanera Norte
● Plano: C-1
● Colectivos: 33, 45.

● Puerto Madero
● Plano: D-6
● Colectivos: 2, 20, 61, 62, 111, 130, 152.
● Subte: Leandro N. Alem (B).

■ El Puerto de Buenos Aires es obra tardía, dificultada por un estuario de escasa profundidad y postergada por largas marchas y contramarchas.

■ Preocupado por la falta de puerto, Sarmiento llegó a consultar al abrecanales Ferdinand de Lesseps. En el último mensaje presidencial ante las Cámaras dijo: "No tenemos puerto. He aquí el único hecho conquistado".

■ Hacia 1910 arribaban al Puerto de Buenos Aires unos 800 inmigrantes por día.

13

- Dirección Nacional de Migraciones
- Avda. Antártida Argentina 1325.
- Horario: lunes a viernes, 7.00-13.00.

- Museo Corbeta Uruguay
- Dique 1.
- Tel.: 4314.1090
- Horario: lunes a domingos, 10.00-21.00.
- Entrada: $ 1. Menores de 5 años gratis.

- Museo Fragata Presidente Sarmiento
- Dique 3.
- Tel.: 4334.9386
- Horario: lunes a domingos, 9.00-20.00.
- Entrada: $ 2. Menores de 5 años gratis.

- Espacio de Arte Dock del Plata
- Avda. Alicia Moreau de Justo 380
- Horario: lunes a domingos, 8.00-24.00.
- Entrada gratis.

do en el agua. El tema del desembarco se recrea en el mural de azulejos que decora la estación Catedral (subte D). En 1907 fue construido el Hotel de Inmigrantes, en Dársena Norte, destinado a ofrecer alojamiento, asistencia social, sanitaria y laboral a los inmigrantes europeos que llegaban en barco a la Argentina. Debido a su estado de abandono, el pabellón de dormitorios se conserva tal como lo conocieron aquellos *gringos* que venían a "hacerse la América". Se puede visitar en horario de oficina, ya que allí funciona la Dirección de Migraciones.

El puerto fue inaugurado en 1899 y en apenas veinte años demostró su inutilidad. Hoy los barcos operan en Puerto Nuevo y los turistas en Puerto Madero. Entre la ringlera de galpones y los diques cuatrillizos, una guardia de grúas muertas vigila la calle peatonal más larga de la ciudad. En lo alto de las fachadas, brazos y mecanismos de elevación perdieron las roldanas pero salvaron sus remaches del óxido y se convirtieron en ornamentos exóticos. Dos buques-museo jubilados de los mares del mundo animan el paseo. La corbeta *Uruguay* fue botada en Inglaterra en 1874. Participó en las luchas civiles argentinas y en 1903 fue en ayuda de la expedición antártica del explorador Otto Nordenskjöld. La fragata *Presidente Sarmiento,* también construida en Inglaterra, navegó desde 1897 hasta 1938 cumpliendo 37 vueltas al mundo. Ninguna guía de este barrio en formación estará actualizada en los próximos diez o veinte años. La zona de molinos y silos cerealeros situada enfrente de los *docks* promete convertirse en una ciudad cinco estrellas, con barrios y hoteles de lujo.

Ribera Norte y Tren de la Costa

14

La ribera norte del conurbano fue tradicionalmente zona de quintas productivas o de descanso que ofrecían refugio seguro contra las epidemias. Desde 1880 hasta 1930 chacras y quintas alternan con los primeros pueblos en la franja costera entre Belgrano (☛ 81) y Tigre (☛ 72). El recuerdo de las quintas perdura: la residencia presidencial se conoce con el nombre de Quinta Presidencial o Quinta de Olivos, y el presidente de la República está obligado a residir en ella desde 1958. Quinteros adinerados lotearon las fértiles tierras que se valorizaban gracias al avance del ferrocarril; y la ciudad en expansión las fue incorporando hasta conformar la zona residencial más cotizada del conurbano. La Avenida del Libertador es el hilo conductor del paseo turístico que concluye en Tigre. Al amparo de su añosa arboleda alternan residencias y confiterías ajardinadas, heladerías, boutiques y entretenimientos que le otorgan el carácter de auténtica alameda suburbana. Entre Martínez y Acassuso posee una animada vida nocturna. Hacia el río, las calles más residenciales merecen una prolongada caminata, ya que concluyen en herméticas mansiones al borde de la barranca.

San Isidro posee el casco histórico más interesante del conurbano, el único que conserva su fisonomía original. El centro fundacional y religioso es la Catedral, de estilo neogótico. Data de 1895 y contiene una reliquia de San Isidro, patrono de Madrid, donada por el rey de España Alfonso XIII. La Avenida del Libertador, arbolada y re-

- Plano: b-II
- Colectivos por Avda. del Libertador: 29 (hasta el puerto de Olivos), 60 ramal "Bajo" (entre San Isidro y Tigre), 168 (hasta San Isidro).
- Tren: línea Retiro-Tigre.
- Se puede descender en cualquier estación suburbana.

■ Casi toda la orilla del Río de la Plata es de acceso restringido; ha sido acaparado por marinas, clubes náuticos, barrios vigilados y recreos.

■ Olivos cuenta con un pequeño y abrigado puerto arenero y deportivo desde donde parte un barco panorámico que recorre la ribera hasta Tigre.

14

ducida a una angosta calle toscamente adoquinada, se somete al paisaje sanisidrense y desemboca en la Plaza Mitre. El entorno urbano mantiene a ultranza su estilo de barrio antiguo, con sus casonas de rejas y jardines. Hay que contornear la Catedral y caminar por la calle que conduce al mirador de la barranca, rodeado de mansiones y parques suntuosos que se atisban desde la calle. No hay rincón más hermoso en toda la ribera. La Quinta Pueyrredón es la única que puede visitarse. Se trata de una típica casona rural del siglo XVIII con entrada de zaguán, patio central con aljibe y galería orientada al río (que antiguamente llegaba hasta el pie de la barranca). Funciona como museo histórico y conserva intactos su ambiente y mobiliario de época. El arquitecto y pintor Prilidiano Pueyrredón llegó a instalar su atelier en la torre del caserón.

- Tren de la Costa
- Plano: b-II
- Tel.: 4732.6000
- Informes: lunes a viernes, 8.00-21.00.
- Horario de trenes: lunes a viernes, 7.30-22.00; sábados y domingos, 8.00-24.00.
- Salidas cada diez minutos.
- Tarifa única: $ 1,50; sábados y domingos $ 2.
- El boleto es válido para viajar en el día cuantas veces se quiera, incluyendo escalas. Compra de boletos en estaciones intermedias únicamente con monedas. Prohibido viajar con bicicleta o animales. Duración del viaje: 25 minutos.

El Tren de la Costa inaugura una nueva manera de descubrir la ribera norte, sus barrios residenciales y su ambiente náutico. Se trata de un moderno tren eléctrico de pasajeros que por los atractivos de su recorrido y la modalidad de su explotación se ha consagrado como paseo turístico para porteños y visitantes. El proyecto, inaugurado en 1995, recupera 15 kilómetros de vías de un antiguo ramal –el Tren del Bajo– que en 1961 cayó en desuso por deficitario. El emprendimiento incluyó cambio de trocha, reciclaje de estaciones originales y explotación comercial del tren en conjunto con sus atractivos comerciales y propuestas recreativas al borde de la vía. Las estaciones antiguas resucitaron del olvido sin perder su estilo inglés original ni su tranquilo ambiente de apeadero. Sólo San Isidro tiene un gran movimiento. El pasajero más famoso que se apeó allí fue el Rey de España. En torno del vistoso edificio de la estación se expande un shopping abierto con jardines, boutiques y gastronomía. En este lugar se inicia el paseo ascendente que conduce a la Catedral y casco histórico de San Isidro a través de la escalonada Plaza Mitre. Todo el conjunto desborda de visitantes y feriantes durante el fin de semana.

Junto a las vías del tren se disparan todas las aventuras inmobiliarias. Las últimas quintas anuncian su fraccionamiento y las calles recién abiertas se asocian al tren del progreso. Al mismo tiempo que la intimidad de aquellos palacetes desfila ante los ojos del turista, los más memoriosos evocan la ribera de antaño, cuando iban al río a bañarse entre las toscas y a pescar. El Río de la Plata se muestra sólo entre las estaciones Libertador y Barrancas (lado derecho). Entre Anchorena y Barrancas se divisan las mejores mansiones y jardines (lado izquierdo). En Barrancas funciona una feria de anticuarios (derecha) y se pueden alquilar patines y bicicletas. Entre San Isidro y Marina Nueva pueden apreciarse marinas y barrios náuticos (derecha). Entre las estaciones Libertador y San Isidro, la traza de una senda para ciclistas y patinadores acompaña el recorrido del tren y prolonga el paseo por las arboladas calles de Acassuso, Beccar, Punta Chica y San Fernando. El viaje ferroviario concluye su recorrido a las puertas del Delta. Contiguo a la estación terminal funciona un parque de diversiones de última generación que ha cambiado el tradicional paisaje tigrense.

- Acceso Tren de la Costa
- Desde estación Retiro (ex Ferrocarril Mitre) hasta estación Bartolomé Mitre; andenes 3 a 6, únicamente "Ramal Mitre"; 27 minutos de viaje.
- Colectivos: 59, 60, 152 (estación Maipú); 168 (estación Libertador).
- Acceso en minibús
  - Arrows S.A.
  - Tel: 4566.6482
  - Partidas desde avda.Córdoba esquina Florida. Sólo sábados y domingos.
  - Precio $ 3.

15

Tigre

● Plano: a-I

● Oficina de Turismo de Tigre

◗ Tel.: 4512.4497

◗ Horario: 9.00-17.00.

◗ Colectivos: 60.

◗ Tren: rápido y económico; frecuentes servicios desde estación Retiro (ex Ferrocarril Mitre, andenes 1 y 2). También por el Tren de la Costa.

◗ El Ramal Tigre de la autopista Panamericana concluye en Tigre.

■ Cuando llegó el tren a vapor, en 1865, los tigres (felinos sudamericanos) acechaban en las islas y se cazaban en el arrabal de Las Conchas. Recién en 1954 el yaguareté, hoy extinguido, dio su nombre a la villa de Tigre.

A 30 kilómetros de Buenos Aires, este suburbio es puerta de entrada al Delta del Paraná y lugar de bellezas naturales, arquitectura de época y recuerdos históricos. "El Tigre", como se lo conoce popularmente, nació de un caserío recostado sobre el río de Las Conchas, hoy llamado Reconquista, sobre el que se establecieron las quintas extremas otorgadas por Juan de Garay en el reparto de tierras de 1580. Aislado por las frecuentes inundaciones, el antiguo pueblo de Santa María de Las Conchas tuvo capilla hacia 1770 y creció como puerto de carbón, leña y contrabando fluvial. En 1820, tras una crecida inusual, el río Tigre se abrió camino al río Luján por cuenta propia, conformando la pequeña mesopotamia que encierra el casco histórico de Tigre. En 1828, el viajero Alcide d'Orbigny lo encuentra parecido a "uno de esos lindos caseríos del Sena".

En una época en que las carretas tardaban un día o dos en llegar desde Buenos Aires, el ferrocarril acercó la ciudad al mundo de las islas. Desde 1880 hasta 1930, Tigre se consagró como centro veraniego de la elite porteña. Se edificaron quintas y residencias, y muchas hosterías hoy desaparecidas ofrecían temporadas de vacaciones al borde del agua. Los deportes náuticos y los cambios de gusto del veraneo alteraron los hábitos de uso del Delta, pero sigue siendo muy concurrido el fin de semana por turistas y merendantes que buscan escapar del encierro urbano. Los clubes de remo y regatas, con sus eclécticas fachadas y sus torres, se situaron en la cresta de la ola arquitectónica. Eran también clubes sociales y cada comunidad de inmigrantes tuvo el suyo. El Rowing Club Argentino luce un aire isabelino, el Canottieri Italiani simula un palacete gótico veneciano, el Buenos Aires Rowing Club se parece a una universidad inglesa estilo Tudor. La comunidad franco-argentina construyó el Club L'Aviron. En la orilla opuesta del río Luján se destacan dos edificios: el Club de Regatas La Marina, muy al estilo de los *rowing* ingleses, y la ex residencia Bullrich, que fue elegante quinta de veraneo.

La rambla turística, arbolada y entrecortada por los rieles que conducen los botes al agua, remata en el pórtico del Tigre Club. Fue inaugurado hacia 1912 y es el mejor ejemplo del fervor aristocrático de antaño por la *riviera* tigrense. Los interiores eran de gran lujo: pisos de roble de Eslavonia, frescos murales, cristales y relieves dorados a la hoja. Por fuera, la soberbia columnata daba la bienvenida al borde del agua a los invitados que llegaban por vía fluvial a las veladas de gala y al casino. A este edificio se lo confunde a menudo con el mítico Tigre Hotel, construido en 1886 en el predio contiguo. Fue destruido por un incendio; en medio siglo de vida tuvo el primer salón de ruleta del país (allá por 1895) y alojó a príncipes, poetas y potentados. El Museo de la Reconquista es una casona con aire colonial que conserva reliquias de aquellos dos clubes tigrenses. Se halla situado en el lugar donde, en 1806, desembarcaron las tropas de Santiago de Liniers para recuperar la ciudad de Buenos Aires asaltada por los ingleses.

■ Los clubes de remo son privados y su entrada está reservada a los socios. En el Paseo Turístico hay bares y parrillas con mesitas al aire libre.

■ El río Luján toma el nombre de un oficial español víctima del primer atentado con flechas perpetrado por los nativos querandíes contra la primera Buenos Aires.

15

● Museo de La Reconquista
◗ Avda. Liniers y Castañeda.
◗ Tel.: 4512.4496
◗ Horario: miércoles a domingos, 14.00-18.00.
◗ Entrada gratis.

■ No hay que dejarse intimidar por el mal olor del río Tigre en días de viento o bajante. En el Delta las aguas no están contaminadas.

El perímetro de la isla urbana de Tigre y su tranquila zona residencial pueden recorrerse caminando. La umbrosa calle Liniers sigue de cerca el curso del río Reconquista; sobre ella se encuentran los pocos edificios históricos del antiguo puerto de Las Conchas. Cuesta creer que el principal fondeadero del siglo XVIII estuviese en aquel tiempo frente a la sencilla Aduana, raro sobreviviente de la arquitectura colonial. El río Tigre aún no existía y el antiguo Las Conchas era más caudaloso que hoy. Todavía quedan quintas de antaño y tradicionales casonas de techo de chapa y entramados de madera. La Quinta de Cobo, aun en su estado de abandono, es un magnífico palacete digno de ser refuncionalizado y parquizado. Se levanta junto al puente que inaugura el bulevar San Martín, adornado con las palmeras donadas por la Infanta Isabel de España, que visitó Tigre en ocasión de los festejos del Centenario (1910).

El Puerto de Frutos es el único mercado metropolitano al borde del agua. Fue construido en la época en que naranjas, duraznos y frutas del Delta llegaban en lanchones a los mercados capitalinos. Hoy es al revés: las islas se abastecen de la ciudad y el puerto se abre a los vientos que propone el miniturismo. En los antiguos galpones o en barcazas, se venden dulces, miel, frutas, hortalizas, plantas y artesanías de formio y mimbre, materiales naturales de las islas. Terminado el ajetreo turístico del fin de semana, el puerto retoma su actividad maderera y se aprovisionan las lanchas-almacén, que abastecen al isleño de alimentos y garrafas de gas según recorridos determinados.

Esencial

Delta del Paraná

No hay sitio más remoto y pintoresco a tan corta distancia de Buenos Aires. Su desbordante naturaleza y sus paisajes son la mejor manera de tomar distancia de la gran ciudad. Lejanos y potentes tributarios del río Paraná construyen el delta a expensas del poco profundo Río de la Plata. Pero el Delta es también obra del hombre, que planta sauces y álamos para el aprovechamiento industrial de la madera y realiza contención y embellecimiento de orillas mediante jardines o tablestacados. Rellenos, dragados y apertura de canales artificiales mejoran la navegación y facilitan el escurrimiento de aguas.

El sector más poblado y turístico del Delta es un territorio enmarañado de ríos, arroyos y canales que unen el Paraná de las Palmas con el río Luján. En sus avenidas acuáticas –ríos Sarmiento, Capitán y San Antonio– viborean los mejores barrios del Delta, un rosario colorido de quintas, recreos y hospedajes, o simples palafitas que asoman a la orilla entre huertos arbolados y jardines poblados de hortensias y azaleas. Son viajes de múltiples escalas, pautados por la secuencia de flacos embarcaderos, uno por cada frentista. El paraje Tres Bocas es una esquina de aguas situada a media hora de navegación desde la terminal fluvial. El visitante puede descender, almorzar al aire libre y pasear entre puentecitos de madera y veredas peatonales antes de abordar otra lancha de regreso. El escritor Roberto Arlt (1900-1942) gustaba de aquel paraje y mandó que arrojasen en él sus cenizas.

16

- Plano: a-I
- El transporte público del Delta son las lanchas colectivas de madera; llegan al Paraná de las Palmas por los ríos Capitán (una hora de viaje), Carapachay y Caraguatá (hora y media). Parten de la Terminal Fluvial Tigre, donde recreos y hosterías de las islas brindan información en pequeños mostradores. Junto a los ríos Tigre y Luján se ofrecen lanchas de excursión y paseos en barcos panorámicos.

- Interisleña

▸ Tel.:4749.0900

▸ Los fines de semana efectúa el Circuito Chico en una hora, por los ríos Luján, Abra Vieja, Sarmiento, Luján (salidas 9.00, 15.00, 17.00). Sobre el río Capitán se puede almorzar al aire libre en Gato Blanco (45 minutos de viaje; tel.: 4728.0390) o en Atelier (hora y cuarto de viaje; tel.: 4728.0043).

16

■ Se puede conocer el Delta paseando en lanchas de pasajeros o pasando el día en los recreos; disponen de playa de arena o solario, muelle de pesca, parrilla-restaurante y campo de deportes; algunos ofrecen piscina y alojamiento.

■ El Delta del Paraná es un delta interior, no oceánico. Avanza a razón de 50 m por año. Hacia el año 2500, Buenos Aires no estará sobre el Río de la Plata sino sobre el río Luján.

■ "Hace muchos años el Tigre me dio imágenes quizás erróneas para las escenas malayas o africanas de los libros de Conrad", escribió Borges. El viajero Richard Burton confiesa que el Delta le recuerda a las riberas de Whydah, "con toda la terrible belleza de África".

Más allá del Paraná de las Palmas el Delta se vuelve más solitario y selvático, con sus bosques en galería y riachos tapizados por camalotes varados en el agua. La quietud sólo es alterada por los acontecimientos de la naturaleza y el paso de algún lanchón. La casa de fin de semana, construida al estilo de la ciudad, cede su lugar a la explotación maderera y domina la casa del isleño, tradicionalmente elevada sobre palafitas, con paredes de caña y barro y techo de chapa acanalada. Siempre se construye sobre la orilla (albardón), pues el interior de la isla suele ser una manigua inundable y forzada a drenar a través de pequeños canales artificiales. El Tropezón es uno de los mejores ejemplos de arquitectura local. El poeta Leopoldo Lugones fue a morir en este hotel de madera que poco y nada ha cambiado desde su creación, en 1928.

La isla Martín García es de formación rocosa, no aluvional. Este antiguo penal posee un interés histórico, pero su principal atractivo es la diversidad botánica: en apenas 2 km^2 se desarrolla un muestrario de especies que prosperan en remotos lugares de las cuencas del Paraná y el Uruguay, cuyas aguas acarrean semillas y plantas que se depositan y crecen en la isla. También es refugio de fauna: ciervos, nutrias, tortugas de agua, lagartos y 200 especies de aves. Un pueblito letárgico y arbolado alberga unas 45 familias (200 habitantes) dedicadas al cuidado de la isla, declarada Reserva Natural de la Provincia de Buenos Aires. Es posible realizar paseos de selva y descubrir los monumentos más interesantes: el teatro, el cementerio, el antiguo lupanar y la panadería, donde se elabora el pan dulce presidencial.

Y además ...

Museos

Museo Nacional de Bellas Artes. Fue fundado en 1895 y funciona desde 1933 en la antigua Casa de Bombas de Aguas Corrientes. Atesora un destacado conjunto de obras, desde el arte medieval y renacentista hasta las vanguardias del siglo XX y las últimas tendencias, además de una importante colección de arte argentino y latinoamericano. Las colecciones suman más de nueve mil piezas, quinientas de las cuales se hallan expuestas en sus salas. Se exhiben obras de Rembrandt, El Greco, Goya, Monet, Degas, Gauguin, Van Gogh, Toulouse Lautrec, Picasso, Klee, Moore. Entre los artistas latinoamericanos se destacan Pueyrredón, De la Cárcova, Spilimbergo, Sívori, Pettoruti, Fader, Berni, Portinari, Diego Rivera, Torres García y otros. Durante todo el año el Museo ofrece al público importantes muestras temporarias.

- Plano: C-3
- Avda. del Libertador 1473.
- Tel.: 4803.0802
- Colectivos: 61, 62, 67, 102, 130.
- Horario: martes a viernes, 12.30-19.30; sábados y domingos, 9.30-19.30.
- Visitas guiadas: sábados, 15.00 horas.

Museo Nacional de Arte Decorativo. Dedicado a exponer el arte del mueble y otros objetos decorativos pertenecientes al Palacio Errázuriz, uno de los mejores exponentes de la *belle époque* porteña. Este palacio fue decorado con mármoles, *boisseries* y mobiliario traído de Europa. Se destacan obras de Rodin, Corot, El Greco, además de valiosas obras de pintura, escultura, cristales y porcelanas. En el primer piso funciona el Museo Nacional de Arte Oriental, dedicado a presentar muestras temporarias vinculadas al arte asiático (India, Tíbet, Extremo Oriente), árabe-musulmán, antiguo Egipto y Mesopotamia.

- Plano: B-2
- Avda. del Libertador 1902.
- Tel.: 4802.6606.
- Colectivos: 67, 102, 130.
- Horario: lunes a domingos, 14.00-19.00.
- Entrada: $ 1.

Museo de Arte Moderno. Funciona en un depósito de tabaco reciclado, donde se exhiben obras de Chagall, Dalí, Kandinsky, Matisse, Mondrian, Picasso, Renoir; también de destacados artistas argentinos como Berni, Del Prete, Pettoruti y otros. La colección estable incluye una importante muestra de arte abstracto.

- Plano: C-7
- Avda. San Juan 350.
- Tel.: 4361.1121.
- Colectivos: 29, 33, 61, 62, 64, 130, 152.
- Horario: martes a viernes, 10.00-20.00; sábados y domingos: 11.00-20.00.
- Entrada: $ 1.
- Visitas guiadas: martes a domingos, 17.00.

Museo de Arte Hispanoamericano Isaac Fernández Blanco. Expone una colección única de platería, mobiliario, imaginería religiosa, pintura y objetos de arte colonial sudamericano. Funciona en un palacete de estilo neocolonial que conserva motivos de arquitectura altoperuana y mudéjar.

- Plano: D-4
- Suipacha 1422.
- Tel.: 4327.0272.
- Colectivos: 61, 62, 67, 100, 130.
- Horario: martes a domingos, 14.00-19.00.
- Visitas guiadas: sábados y domingos, 16.00.
- Entrada: $ 1.

Museo de la Ciudad. Compendio de cosas nostálgicas de la vida cotidiana que estuvieron de moda entre los porteños: fotografías, anuncios publicitarios, tarjetas postales, fileteados, estufas, adornos *kitsch* y muchos otros objetos de uso doméstico y comercial, expuestos y comentados con gracia y humor. Se exhiben a través de exposiciones temáticas temporarias.

- Plano: C-6
- Alsina 412.
- Tel.: 4343.2123.
- Colectivos: 29, 33, 61, 62, 64, 130. 152.
- Subte: Perú (A).
- Horario: lunes a viernes, 11.00-19.00; domingos, 15.00-19.00.
- Entrada: $ 1.

Museo de Arte Español Enrique Larreta. Exposición de tallas, muebles, tapices y pinturas pertenecientes al escritor y refinado coleccionista Enrique Larreta (1875-1961). Se exhiben en su propia casa, una antigua quinta de Belgrano cuya huerta fue convertida en un jardín andaluz, único en Buenos Aires.

- Museo Larreta
- Avda. Juramento 2291
- Tel.: 4784.4040.
- Subte: Juramento (D).
- Horario: jueves a sábados, 15.00-20.00.

Museo de Ciencias Naturales de La Plata. Uno de los más completos de Sudamérica en su especialidad, aunque desmejorado en su presentación. Nació de la colección de restos indígenas y fósiles de los viajes del perito Francisco P. Moreno en la Patagonia, hacia 1880. Es famoso por su colección de dinosaurios y otros animales extinguidos. Cuenta con la mejor colección de alfarería incaica y primitiva del Noroeste argentino, con espléndidas piezas de vasos sepulcrales santamarianos. Es muy valiosa su colección jesuítica y de arte egipcio antiguo.

- Paseo del Bosque s/n (La Plata).
- Tel.: (0221) 425.9638
- Tren desde estación Plaza Constitución.
- Ómnibus 129 desde estación Retiro.
- Horario: lunes a domingos, 10.00-18.00.
- Visitas guiadas.
- Entrada: $ 3; menores gratis.

DEL CENTRO A LOS BARRIOS

Los barrios porteños no poseen autonomía municipal ni parroquial. La división oficial es puramente formal y burocrática, les adjudica límites fijos que los vecinos ignoran, trazando los suyos, entrañablemente afectivos. En la realidad histórica y cotidiana, los barrios se dilatan, se comprimen, se entrecruzan y hasta cambian de nombre según el *status* y los avatares del progreso y del mercado inmobiliario.

- Plano: A-4
- Avda.Corrientes al 3200.
- Colectivos: 64, 168.
- Subte: Carlos Gardel (B).

Abasto. El mercado proveedor de Buenos Aires, inaugurado en 1934 y clausurado por la Municipalidad en 1984, desbordó el monumental edificio de bóvedas de hormigón y terminó aglutinando un barrio y dándole su nombre. Fue arrabal de inmigrantes y de tango, barrio de garitos, fondas y reñideros de gallos. Allá por 1910 fue cuna artística de Carlos Gardel, llamado popularmente El Morocho del Abasto. Aún existe la casa donde él vivió y en donde murió su madre (Jean Jaurés 735). El antiguo Mercado, reciclado como paseo de compras, señala el fin del Abasto tradicional e inaugura el barrio de los grandes emprendimientos inmobiliarios.

- Plano: B-8
- Colectivos: 20, 100.

■ En las tranquilas calles en torno a la estación Hipólito Yrigoyen fue ambientada la película Sur, del director Pino Solanas.

■ Barracas es barrio de la geografía borgeana: "Al sur de la ciudad de mi cuento fluye un ciego riachuelo de aguas barrosas, infamado de curtiembres y basuras".

Barracas. El primer barrio industrial de la ciudad. Creció alrededor de los saladeros y depósitos de cuero que se levantaron junto al Riachuelo a partir del siglo XVII. Aquella ribera es hoy una arista desolada de la ciudad, impregnada de tufillo a herrumbre empetrolada que no desentona con su condición de barrio de camiones y galpones. Es territorio para echarse a andar sin la obligación de inventariar monumentos. A lo largo del viaducto del ferrocarril se aglutina sin alardes inmobiliarios lo más honesto de su patrimonio. Es uno de los barrios porteños mejor preparados para enfrentar la modernidad urbana con cautela y respeto por la preservación. Artistas y escultores lo prefieren como refugio creativo donde vivir sin afectaciones bohemias.

Y además ...

Belgrano. Distinguido barrio residencial que gravita en torno de la nerviosa esquina de Cabildo y Juramento. Frente a la plaza se encuentra la iglesia (1878), el Museo-jardín Larreta (☛ 79) y el Museo Sarmiento, antigua municipalidad de Belgrano que en 1888 se convirtió en Casa de Gobierno provisoria. Allí se sancionó la ley que proclamó a Buenos Aires capital nacional. Aquel barrio de quintas entre Buenos Aires y San Isidro hoy concentra una alta calidad de servicios. El núcleo más residencial es Belgrano R, simbolizado por sus chalets ajardinados y el túnel vegetal de la calle Melián. Las vías del ferrocarril trazan la frontera natural que lo separa del Belgrano bullicioso y mercantil. La Feria de Belgrano es el mercado de alimentos mejor provisto de la ciudad. A una cuadra de la estación Belgrano C prospera el incipiente *Chinatown* porteño.

- Plano: b-IV
- Colectivos: 29, 59, 60, 64, 67, 130, 152.
- Subte: Juramento (D).
- Tren desde Retiro: estaciones Belgrano C y Belgrano R.

- Museo Sarmiento: Avda. Juramento esquina Cuba.
- Feria de Belgrano: Juramento esquina Ciudad de La Paz.
- Chinatown: calle Arribeños esquina Mendoza.

Mataderos. Barrio periférico, antiguo arrabal que debe su nombre a los corrales y mataderos de ganado, donde nace el preciado bife argentino. El domingo, en torno de la recova de Los Corrales y del Monumento al Resero (peón que arrea el ganado entre estancias), tiene lugar la Feria de Artesanías y Tradiciones Populares, con música, danzas, comidas típicas (asado, empanadas, locro, pastelitos, torta frita, mate cocido). Suele practicarse la carrera de sortija, deporte gaucho muy apreciado en los círculos tradicionalistas. También funciona un museo gauchesco.

- Plano: a-V
- Lisandro de la Torre esq. Avda. de los Corrales.
- Colectivos: 126 (desde Retiro, San Telmo), 155 (desde Centro).

- Feria de Mataderos
- Domingos, 11.00-20.00 (abril a diciembre).

- Museo Criollo de los Corrales
- Avda. de los Corrales 6436.
- Tel.: 4571.6143. Domingos, 12.30-18.30.

ESQUINAS Y PASAJES

- Plano: B-4
- Colectivos: 29, 102, 152.
- Subte: Callao (D).

Callao y Santa Fe. El centro de Barrio Norte, la esquina más mundana de Buenos Aires. La clase pudiente gusta pasear y comprar en las tiendas de avenida Santa Fe. La calle Arenales consagra sus vidrieras al diseño y bazares de regalos. En la Rue des Artisans (Arenales 1239) y en Libertad 1240 mandan los restauradores y decoradores. Si Buenos Aires no profesara un culto exagerado por los muros medianeros, estos dos solares enemistados por una pared infranqueable podrían convertirse en uno solo. Cuando cierran sus puertas a la calle, nadie sospecha de que se trata en realidad de dos edificios con alma de callejón. En las Galerías Santa Fe (avda. Santa Fe 1660) se puede comer o tomar un café bajo una bóveda pintada por Soldi.

- Plano: C-5
- Florida 165,
- San Martín 170.
- Subte: Catedral (D), Florida (B).
- Abierto en horario de oficinas.

Galería Güemes. El bazar porteño del Microcentro, sin regateos pero sumamente animado por pequeños negocios y cafés. No queda más remedio que visitarlo en las horas pico, cuando los oficinistas revisan libros y corbatas, dan lustre a sus zapatos, reparan una afeitadora o prueban una caña de pescar. Bonitas mujeres se recetan anteojos o se dejan tentar con perfumes importados. Todos bajo la nave abovedada y ricamente engarzada con molduras y apliques luminosos. La fachada de Florida no tiene encanto, sí la de San Martín. Para vivir de cerca el cielo de Buenos Aires recortado entre edificios y almorzar bajo su maraña aérea de cables telefónicos hay que subir hasta la *Petite Terrasse*, donde humea la parrilla al carbón más alta de la city porteña.

- Plano: B-5
- Bartolomé Mitre al 1500.
- Colectivos: 7, 60, 64, 67, 86, 102.
- Subte: Sáenz Peña (A), Uruguay (B).

Pasaje de la Piedad. Pasaje atípico por su forma y su nombre. Trazado dentro de un mismo edificio que ocupa toda la cuadra, este pasaje umbrío y melancólico suele estar abierto. Borges lo visitó hasta su vejez, llevado por recuerdos amigables y el atractivo de un lugar todavía secreto de la ciudad. Hay que entrar por el Oeste y aparecer de frente a la torre de la Iglesia de la Piedad, en derredor de la cual se asentó el barrio del Congreso. La cuadra de Bartolomé Mitre al 1300 se encuentra cortada por el pasaje Rivarola. Se trata de una calle que nació como obra de arquitectura, ya que las dos fachadas se reflejan mutuamente.

Pasaje San Lorenzo. Antigua "cortada" al río que sobrevivió a la traza de un zanjón colonial. Una cruel leyenda pesa sobre ella. Se comenta que estaba destinada a residencia de esclavos. El penar y la frustración de estos involuntarios inmigrantes pervive en las paredes. Por este motivo todo aquel que instale allí su negocio estaría condenado al fracaso. El número 380 corresponde al solar más angosto de la ciudad, apenas 2,20 metros de frente, "una fisura que llenaron de ladrillo", según Baldomero Fernández Moreno. Se asegura que habría sido otorgada a un esclavo junto con su libertad. Los Patios de San Telmo, en el número 317, es un conventillo transformado en talleres de artistas y artesanos.

- Plano: C-6
- Calle Defensa al 700.
- Colectivos: 29, 64, 86, 130, 152.

Pasaje Santamarina. Su abigarrada conformación de patios y casas-puente tendidas sobre la vereda interior se quiebra en un ángulo escondido en el corazón de la manzana. Muy introvertido, apenas muestra su intimidad a través de los portones de la calle (es privado y no se puede entrar).

- Plano: C-6
- México 750,
- Chacabuco 641.
- Colectivos: 10, 17, 29, 59, 86.
- Subte: Independencia (C).

Palermo Viejo. Algunas casas del pasaje Russel tienen salida posterior por la calle paralela. Borges se inspiró en él para escribir su cuento *Juan Muraña.* En Gurruchaga 1959 perdura una rareza catastral más propia de Tánger que de Buenos Aires: el pasaje Roberto Arlt. El olvido cartográfico aumenta su misterio; el transeúnte que se le atreva corre el riesgo de responder por su curiosidad ante el vecino que delate su presencia. El autor de *Los siete locos* vivió en una casa del fondo.

- Plano: b-IV
- Gurruchaga al 1700.
- Colectivos: 39 (ramal Palermo Viejo), 55.
- Subte: Plaza Italia (D).

- Plano: B-4
- Avda. Córdoba 1950.
- Tel.: 4379.0105
- Colectivos: 29, 60, 132.
- Subte: Callao (D).

- Museo de Patrimonio Histórico
- Horario: lunes a viernes, 9.30-12.00.
- Entrada Gratis.

FACHADAS Y ESTILOS

Palacio de Aguas Corrientes. Probablemente el mejor ejemplo de arquitectura ecléctica de fines del siglo XIX (1887-1894) y uno de los edificios más llamativos de Buenos Aires. El lujo ornamental de la fachada disimula el destino original de la obra: alojar doce tanques con 72 millones de litros de agua potable destinados al abastecimiento diario de la ciudad. La construcción imita un palacio belga; fue ejecutada por una empresa inglesa con albañiles italianos, dirigida por un ingeniero sueco y un arquitecto noruego. Los hierros, ladrillos esmaltados y cerámicas fueron fabricados especialmente en Bélgica e Inglaterra. Los mármoles son italianos y el techo de pizarra es francés. Hasta los clavos fueron importados. Es el edificio porteño más federalista, al menos desde el punto de vista decorativo, ya que incorpora los coloridos escudos en relieve de las provincias argentinas. Funciona un museo con curiosidades sanitarias de antaño.

Murales del subte. Más de 1500 metros cuadrados de luminosos paneles decorativos hechos en mayólicas y azulejos. Fueron pintados a principios del siglo XX por artistas y reproducidos fielmente por ceramistas españoles y argentinos. En las estaciones de la Línea C predominan los paisajes de España. En la Línea E los temas argentinos (paisajes de provincias, hechos históricos, motivos costumbristas). Los andenes de la Línea D representan paisajes, mitos y leyendas a través de un viaje imaginario por el camino de postas desde Buenos Aires hacia el norte argentino. En la estación Plaza Italia hay dos cementos policromados en el piso que fueron ejecutados por Quinquela Martín (☛ 28).

Teatro Nacional Cervantes. Representa lo más acabado del neoplateresco porteño. Su fachada fue hecha a imagen y semejanza de la Universidad de Alcalá de

Henares, según el estilo en boga durante el Renacimiento español. Tomaron a su cargo la construcción dos comediantes españoles encariñados con el público porteño; y hasta el propio rey Alfonso XIII apoyó el envío de materiales. Pero los españoles no pudieron pagarlo y lo compró el gobierno nacional. Fue inaugurado en 1921.

- Plano: C-4
- Libertad 815.
- Tel.: 4816.4224
- Colectivos: 67, 102.
- Subte: Tribunales (D).
- Visitas guiadas.

▼ **Neocolonial.** Después de la independencia, lo hispánico se asoció a lo caduco. La austeridad del colonial simbolizaba el pasado, lo contrario del modelo progresista que reclamaba la pujante Buenos Aires. Se lo maquilló o demolió, pero revivió en vísperas de la modernidad (1910-1935) como tentativa de alcanzar un estilo argentino, aunque adoptando elementos del barroco español. Además de los museos Fernández Blanco y Larreta (☛ 79), puede visitarse el museo Casa de Ricardo Rojas, un revival poscolonial de 1929 cuya fachada imita la casa donde se declaró la independencia argentina, en Tucumán. Las tres residencias-museo poseen gran valor patrimonial en mobiliario y obras de arte.

- Plano: A-3
- Casa de Ricardo Rojas
- Charcas 2837.
- Tel.: 4824.4039
- Subte: Agüero (D).
- Horario: martes a viernes, 11.00-17.00.

▼ **Casa-chorizo.** Es la vivienda natural de Buenos Aires, casa de patios e introvertida según la fórmula romana y andaluza, que recibió su nombre por tener que inscribirse en un lote angosto y largo. Es amable y se adapta al buen clima local. Los inmigrantes las levantaron en todos los barrios, por lo general de una sola planta, y otorgaron a sus fachadas decoración italiana o francesa. Muchas fueron demolidas para justificar inversiones inmobiliarias en terrenos cada vez más valorizados. En los mismos solares coloniales los arquitectos proyectaron hacia el cielo la planta de la casa chorizo y crecieron incómodos edificios de altura para que muchos pudieran tener su porción de suelo, pero en el aire. Ahora que la casa-chorizo es muy buscada para volver

■ Ejemplo de racionalismo es la casa de la poeta y cuentista Victoria Ocampo, en Palermo Chico (Rufino de Elizalde 2831, frente a Grand Bourg). Es la obra más corbusierana de Buenos Aires (1929). Sin embargo, fue proyectada por el arquitecto Alejandro Bustillo (1889-1982), figura destacada del academicismo local, quien se vio obligado a producir una obra corbusierana según el gusto de la propietaria. Victoria Ocampo (1890-1979) fue amiga de Borges y anfitriona de Tagore y del mismo Le Corbusier. Un año después, en 1930, Bustillo proyecta el petit-hotel que ocupa la Embajada de Bélgica. Es de influencia francesa y queda enfrente de la Residencia Ocampo.

a vivir a ras del suelo, se han revalorizado y se reciclan. En San Telmo, Palermo Viejo y otros barrios puede comprobarse que esta tipología no ha perdido actualidad.

▼ **Estilo francés.** El academicismo de los luises franceses fue el estilo favorito de los arquitectos del Buenos Aires de fin de siglo. Prendió en una época de auge económico, cuando el prestigio de la cultura francesa convenía al modelo de la clase ascendente porteña. Sus mejores logros son los palacios de Plaza San Martín y Plaza Carlos Pellegrini (☛ 53). Por su ostentación y tamaño, estos edificios son llamados palacios. Algunos de ellos fueron diseñados en París (Paz, Pereda, Errázuriz) y construidos con materiales importados. Ante la carencia de piedra, se impuso un tipo de revoque todavía conocido como "piedra París". Las viviendas colectivas más logradas han dado a la ciudad fachadas francesas a cuadra entera; ejemplos de ello son el Estrougamou (☛ 55), el edificio de avenida Caseros al 400 (Parque Lezama), de 1910, y la casa de Esmeralda 1180.

▼ **Racionalismo.** Arquitectura de vanguardia de finales de los años 20. Nació como reacción al academicismo y a la arquitectura ecléctica *fin de siècle*, influenciado por la visita de Le Corbusier a Buenos Aires, en 1929. Propiciaba la fachada plana y austera, sin ornamentos, la planta libre y utilitaria, volúmenes y formas simples y geométricas. La extraordinaria producción moderna de los años 30 y 40 mantiene vigente su calidad estética, marcando el estilo de la segunda generación de rascacielos porteños: el Kavanagh (☛ 54), el Safico y el Comega (☛ 47).

▼ **Estilo Clorindo.** Clorindo Testa imprime a sus obras un sello personal inconfundible que lo muestra como el arquitecto más plástico de la posmodernidad argentina. Son de su cuño el atrevido edificio de la

Biblioteca Nacional, el Centro Cultural Recoleta y el Buenos Aires Design (☛ 57). De época anterior es el innovador Banco de Londres (☛ 48).

Fuera de serie. El Edificio Somisa (arquitecto Álvarez) fue levantado en 1966 para sede de la mayor empresa estatal productora de acero. Es el primero de la Argentina construido íntegramente con estructura, sanitarios, y cerramientos de acero y el primero del mundo con uniones totalmente soldadas. El Edificio Pirelli (arquitecto Bigongiari), de 1975, no posee columnas perimetrales. Un núcleo central de hormigón soporta en voladizo cuatro estructuras independientes visibles en la fachada. Dos de ellas sostienen, cada una, la carga de diez pisos suspendidos. Ambos edificios están coronados por un helipuerto.

- Plano: C-6
- Edificio Somisa
- Avda. Belgrano 737.
- Colectivos: 10, 17.
- Subte: Belgrano (E).

- Plano: D-4
- Edificio Pirelli
- Maipú esquina Juncal.
- Colectivos: 130, 152.
- Subte: Retiro (C).

Estilo internacional. Buenos Aires incorporó la obra de dos arquitectos de fama mundial. César Pelli, argentino que trabaja en Nueva York, proyectó el Edificio República (1993-1996), de planta triangular, con fachada curva y afilada arista. La sede institucional de la Banca Nazionale del Lavoro (1988-1989) es obra del arquitecto suizo Mario Botta. Una columna central de la fachada remata en un emblemático palo borracho, el más alto de la ciudad. El quiosco de información turística que se encuentra en la vereda es obra del mismo autor.

- Plano: D-5
- Edificio República
- Tucumán esquina Bouchard.
- Colectivos: 61, 62, 130,152.
- Subte: Leandro N. Alem (B).

- Plano: D-5
- Banca Nazionale del Lavoro
- Florida 40.
- Colectivos: 10, 17, 29, 64, 86.
- Subte: Perú (A), Catedral (D).

Salir de Buenos Aires

- 70 km de Buenos Aires
- Oficina de Turismo.
- Tel.: (02323) 42.0453
- Sociedad Peregrinos a Pie a Luján.
- Tel.: 4902.3242
- Transportes (☛ 91).

Luján. Es el mayor centro devocional de la Argentina. Cada año, una fervorosa peregrinación marcha a pie desde la ciudad de Buenos Aires hasta el santuario de la Virgen de Luján. En 1982, el papa Juan Pablo II celebró allí una misa multitudinaria. El entorno de la plaza conforma un conjunto urbano original, rodeado por la monumental basílica neogótica (inaugurada en 1935), el Museo Histórico colonial y el Cabildo, el más hermoso de los poquísimos que han quedado en pie. Cada domingo, peregrinos y merendantes acuden a pasar el día a orillas del río Luján, transformando los alrededores del santuario en una verdadera romería popular.

- 112 km de Buenos Aires
- Oficina de Turismo.
- Tel.: (02326) 45.3165
- Museo Gauchesco.
- Tel.: (02326) 45.2583
- Omnibus Chevallier desde Terminal Retiro.

San Antonio de Areco. Villa de costumbres gauchescas. Conserva su aspecto tradicional y en ella perviven algunas propiedades de valor histórico. El Parque y Museo Gauchesco funcionan en una antigua estancia junto al río Areco. Durante los fines de semana suele haber jineteadas y espectáculos de destreza criolla.

- Oficina de Turismo de Uruguay
- Tel.: 4807.3042.
- Horario: lunes a viernes, 10.00-16.30.

- Barcos desde Dársena Norte.
- Tel.: 4316.6411

- Paquetes de fin de semana y excursiones en el día
- Tel.: 4316.6550
- Se aceptan dólares y pesos argentinos.

Colonia. A sólo media hora de barco de Buenos Aires, esta pequeña ciudad uruguaya es el enclave colonial rioplatense más atractivo y mejor conservado. Fue trazada graciosamente y fortificada al estilo portugués, no español. Desde 1680 cambió siete veces de dueño, disputada tenazmente por su valor estratégico y comercial (contrabando). Hoy no la amenazan los corsarios sino un descomunal puente que la unirá a Buenos Aires. Atesora museos, casonas y callejones de piedra. Ofrece también riberas limpias y playas de arena cercanas. Extramuros (5 km), se puede reconocer la amoriscada plaza de toros y visitar la antigua capilla de San Benito (siglo XVIII). Colonia del Sacramento es monumento del Patrimonio Mundial.

Guía práctica

Buenos Aires
Información esencial

Información

● Oficinas de información

◗ *Oficinas de información turística de Buenos Aires*
Sarmiento 1551, piso 5
Tel.: 4372.3612
(lunes a viernes, 9.00-17.00)
Florida esquina Diagonal Norte
(lunes a viernes, 9.00-17.00)
Galerías Pacífico, Florida 753, nivel 1
(lunes a viernes, 10.00-19.00; sábados, 11.00-19.00)
Lamadrid esquina Caminito (La Boca)
(10.00-18.00)

◗ *Secretaría de Turismo de la Nación*
Avda. Santa Fe 883
Tel.: 4312.5550
(lunes a viernes, 9.00-17.00)
Oficina en aeropuertos
Tel.: (0800) 555.0016

◗ *Oficina de Turismo de Tigre*
Lavalle esquina R. Fernández
Tel.: 4512.4497 / 4512.4498

◗ *Defensa del Consumidor*
Tel.: (0800) 666.1518

● Comunicaciones

Las tarjetas se adquieren en locutorios.

◗ *Información telefónica*
Tel.: 110

◗ *Centro Internacional de atención al cliente*
Tel.: (0800) 888.0555

◗ *Alquiler de telefonía celular*
Tel.: 4311.3500

◗ *Correo Central*
Sarmiento 151
Tel.: 4312.5040
(lunes a viernes, 8.00-20.00; sábados 8.00-13.00).

● Moneda y cambio de divisas

Varias casas de cambio en San Martín esquina Sarmiento.

◗ *Banco Piano*
San Martín 347
(lunes a viernes, 9.30-17.00)

● Asistencia sanitaria

Las farmacias de guardia se publican diariamente en los periódicos.

◗ *Servicio de Atención Médica de Emergencias (SAME)*
Tel.: 107 / 4923.1050

◗ *Medicamentos 24 hs*
Farmacia Gastoni
Avda. Callao 1289
Tel.: 4811.7376

● Policía

◗ *Policía Federal*
Tel.: 101 / 4346.7000

● Pérdidas

◗ *American Express*
Tel.: 4312.1661

◗ *Diners Club*
Tel.: 4708.2484

◗ *Mastercard*
Tel.: 4340.5700

◗ *Visa*
Tel.: 4379.3333

Transportes

● Avión

◗ *Aeropuerto Internacional de Ezeiza*
Autopista Ricchieri s/n
Tel.: 4480.6111
Acceso y estacionamientos congestionados con facilidad.

◗ *Aeroparque Jorge Newbery*
Avda. Costanera Norte s/n
Tel.: 4576.5300

◗ *Aerolíneas Argentinas y Austral*
Tel.: 4340.7800

◗ *Iberia*
Tel.: 4327.2739 / 4480.0393

▸ ***Autobús aeropuerto Buenos Aires-Ezeiza-Buenos Aires***
Empresa Manuel Tienda León
Tel.: 4314.3636 / 4315.0489
Salidas: Avda. Santa Fe 790

● Barco

▸ ***Terminal Buquebús***
C.Grierson y Avda. Antártida Argentina (Dársena Norte).
Tel.: 4316.6411
Pasajeros y vehículos a Colonia y Montevideo (Uruguay).

▸ ***Terminal Cacciola***
Lavalle 520 (Tigre) Tel.: 4749.0329
Pasajeros a isla Martín García y Carmelo (Uruguay).

● Tren

Paradas urbanas y suburbanas.
Frecuencias entre 10 y 15 minutos.

▸ ***Estación Once de Setiembre***
Bartolomé Mitre 2815
Tel.: 4317.4407 / 4317.4445
(lunes a viernes, 9.00-17.00)
Trenes esporádicos a Luján.

▸ ***Estación Plaza Constitución***
General Hornos 11
Tel.: 4959.0782 / 4959.0785
Trenes a La Plata.

▸ ***Estación Retiro***
Avda.Ramos Mejía 1358
Tel.: 4317.4407 / 4317.4445
(lunes a viernes 9.00-17.00).
Trenes a Tigre, Escobar y combinación Iren de la Costa.

▸ ***Tren de la Costa***
Tel.: 4732.6000
(lunes a viernes, 10.00-18.00)

● Autobuses interurbanos

▸ ***Terminal de ómnibus de Retiro***
Avda. Ramos Mejía 1680
Tel.: 4310.0700 / 4310.0770

▸ ***Comisión Nacional de Regulación del Transporte Automotor***
Tel.: (0800) 333.0300

● Ayuda en carretera

▸ ***Automóvil Club Argentino***
Tel.: 4803.3333
Auxilio mecánico para socios.

● Estacionamientos

La Recoleta, Avda.Córdoba y Florida, Correo Central, Plaza Lavalle, Obelisco, Plaza Libertad (Cerrito y Marcelo. T. de Alvear), Plaza San Martín, Avda. Córdoba y Rodríguez Peña.

● Alquiler de automóviles

▸ ***Avis***
Tel.: 4300.8201

▸ ***Dollar***
Tel.: 4315.8800

▸ ***Hertz***
Tel.: 4312.1317

▸ ***Localiza***
Tel.: 4816.3999

● Taxis

Precio de bajada de bandera $ 1.12. El pedido telefónico supone un adicional de $ 1.40. Para viajes fuera de la ciudad, convenir el precio previamente.

Radio taxi Llámenos
Tel.: 4552.2939

Radio taxi Pídalo
Tel.: 4956.1200

Radio taxi Pronto
Tel.: 4981.5400

● Remis

Alquiler de auto con precio conocido de antemano.

▸ ***La City***
Tel.: 4371.1689

▸ ***Satelital***
Tel.: 4373.1620

▸ ***Flash***
Tel.: 4826.4001

Alojamiento

Hoteles

El turista hallará que las estrellas y los precios no guardan proporción con los hoteles de Europa. Los hoteles caros ofrecen un precio de mostrador y otro más barato por promociones o baja ocupación (hasta un 50 % menos). El precio de lista supone el pago con tarjeta (es posible un descuento del 10 % por pago en efectivo). En la zona de Plaza San Martín los hoteles son más caros y hay varios apart-hoteles. Los hoteles porteños no aceptan animales. Los aeropuertos cuentan con oficina de informes, pero no efectúan reservas.

- ***Símbolos de hoteles (☛ 4)***
- ***Informes alojamiento en oficinas de Aeropuertos***
  Tel.: (0800) 555.0016
- ***Informes alojamiento en Tigre y Delta del Paraná***
  Tel.: 4512.4497 / 4512.4498

Alvear Palace ★★★★★

Avda. Alvear 1891 (La Recoleta)
Tel.: 4808.2100 Fax 4804.0034
207.
Precios: 2 470 Di A 50 C 50 22
Tarjetas: **AE, DC, MC, V**
Edificio de estilo academicista, con salones lujosamente decorados y tres elegantes restaurantes de cocina francesa y carne argentina. Show y academia de tango.

Claridge ★★★★★

Tucumán 535 (Centro)
Tel.: 4314.7700 Fax 4314.8022
161.
Precios: 2 284 **D** 15 **A** 26 **C** 40
Tarjetas: **AE, DC, MC, V**
Tradicional hotel de estilo europeo. Excelente restaurante. Entre sus huéspedes famosos se cuenta el XIV Dalai Lama.

Crowne Plaza Panamericano ★★★★★

Carlos Pellegrini 525 (Centro)
Tel.: 4348.5000 Fax 4348.5250
400.
Precios: 2 300 **Di** **A** 30 **C** 40
Tarjetas: **AE, DC, MC, V**
Moderno, frente al Obelisco. Piscina con vista panorámica; tres restaurantes de primer nivel, entre los que se destaca Tomo I.

Marriott Plaza ★★★★★

Florida 1005 (Retiro)
Tel.: 4318.3000 Fax 4318.3008
325.
Precios: 2 360 **Di** **A** 50 **C** 50
Tarjetas: **AE, DC, MC, V**
Inaugurado en 1909, el Plaza es decano de los hoteles porteños. Monarcas, literatos, deportistas famosos y personalidades se alojaron allí. El Plaza Grill conserva revestimientos, mobiliario y parrilla originales.

Inter-Continental ★★★★★

Moreno 809 (Barrio Sur)
Tel.: 4340.7100 Fax 4340.7199
315.
Precios: 2 365 **D** 20 **A** 45 **C** 55
Tarjetas: **AE, DC, MC, V**
Moderno y bien ubicado, sin estar en el Microcentro. El patio jardín está integrado al Convento de las Clarisas (1754-1982), en cuyo predio se levantó el hotel. Noches de tango en el Café de las Luces.

Aspen Towers ★★★★

Paraguay 857 (Retiro)

Tel.: 4313.1919 Fax 4313.2662

75.

Precios: 2 300 **Di** **A** 25 **C** 35 10

Tarjetas: **AE, DC, MC, V**

Muy moderno y confortable.

Bisonte ★★★★

Paraguay 1207 (Retiro)

Tel.: 4816.5770 Fax 4816.5775

87.

Precios: 2 170 **Di** 16

Tarjetas: **AE, DC, MC, V**

Moderno. frente a la Plaza Libertad.

Hoteles

(PRECIOS POR HABITACIÓN DOBLE)

	CATEGORÍA	HASTA $ 70	DE $ 70 HASTA $100	MAS DE $100	ENCANTO ESPECIAL
ALFA	★	●			
ALVEAR PALACE	★★★★★			●	◆
ASPEN TOWERS	★★★★			●	
ASTORIA	★★	●			
AYACUCHO PALACE	★★★		●		
BISONTE	★★★★			●	
BRISAS	★	●			
BRISTOL	★★★★			●	
CASTELAR	★★★★		●		◆
CITY HOTEL	★★★★			●	
CLARIDGE	★★★★★			●	
COLUMBIA PALACE	★★★		●		
CONTINENTAL	★★★★			●	
CRILLÓN	★★★★			●	
CROWNE PLAZA PANAMERICANO	★★★★★			●	
EIBAR	★★★		●		
EL CABILDO	★	●			
ELEVAGE BUENOS AIRES	★★★★			●	
EMBAJADOR	★★★			●	
GRAN HOTEL COLÓN	★★★★			●	
GRAN HOTEL DE LA PAIX	★★★		●		
GRAN HOTEL DORA	★★★★			●	
IMPALA	★★★			●	
NTER-CONTINENTAL	★★★★★			●	
ITALIA ROMANELLI	★★★★			●	
LAFAYETTE	★★★★			●	
LA GIRALDA	★	●			
LANCASTER	★★★★			●	
LIBERTY	★★★		●		
LISBOA PALACE	★★	●			
MARRIOTT PLAZA HOTEL	★★★★★			●	◆
NOGARÓ	★★★★			●	
NUEVO MUNDIAL HOTEL	★★	●			
ORLY	★★★	●			
PHOENIX	★★★		●		
PLAZA FRANCIA	★★★			●	
PREMIER	★★	●			
PRESIDENTE	★★★★			●	
PROMENADE	★★★	●			
REGIS	★★★		●		
REPUBLICA	★★★★		●		
ROCHESTER	★★★★			●	
SAVOY	★★★★			●	
WALDORF	★★★		●		

Alojamiento

Bristol ★★★★

Cerrito 286 (Centro)

Tel.: 4382.5400 Fax 4382.3284

115.

Precios: 2 140 **Di** **A** 15 **C** 15

Tarjetas: **AE, DC, MC, V. DTO**

Frente a la Avda. 9 de Julio, a pocos metros del Obelisco.

Castelar ★★★★

Avda. de Mayo 1152 (Centro)

Tel.: 4383.5000 Fax 4383.8388

161.

Precios: 2 95 **Di** **A** 25 **C** 25

Tarjetas: **AE, DC, MC, V**

Un clásico de la hotelería porteña. En el subsuelo conserva casi intactos los baños turcos que le dieron fama. La cafetería mantiene su ambientación original.

City Hotel ★★★★

Bolívar 160 (Barrio Sur)

Tel./Fax: 4342.6481

308.

Precios: 2 140 **Di** 8

Tarjetas: **AE, DC, MC, V**

Hotel de 1931, algo pasado de moda y con pocos servicios pero muy evocador (está en vías de ser refuncionalizado). Amplio bar-salón con columnas y cielorraso de vitrales. A pocos metros de Plaza de Mayo y muy cerca de San Telmo.

Continental ★★★★

Diagonal Norte 725 (Centro)

Tel.: 4326.1700 Fax 4322.1421

160.

Precios: 2 121 **Di** **A** 45 10

Tarjetas: **AE, DC, MC, V**

Edificio diseñado por el arquitecto Bustillo en 1934, dentro de una manzana triangular. Allí se filmó la película De amor y de sombras, *con Antonio Banderas (el actor se alojó en el hotel).*

Crillon ★★★★

Avda. Santa Fe 796 (Retiro)

Tel.: 4310.2000 Fax 4310.2020

98.

Precios: 2 206 **Di** **A** 20 **C** 35

Tarjetas: **AE, DC, MC, V**

Hotel tradicional de la ciudad, a pocos metros de Plaza San Martín.

Elevage Buenos Aires ★★★★

Maipú 960 (Retiro)

Tel.: 4891.8000 Fax 4891.8080

103.

Precios: 2 278 **Di** **A** 20 **C** 35

Tarjetas: **AE, DC, MC, V**

Hotel moderno, recientemente refuncionalizado y categorizado como Cuatro Estrellas Superior.

Gran Hotel Colón ★★★★

Carlos Pellegrini 507 (Centro)

Tel.: 4320.3500 Fax 4320.3516

173.

Precios: 2 165 **Di** **A** 20 **C** 35 12

Tarjetas: **AE, DC, MC, V**

Sobre la Avda. 9 de Julio, entre el Obelisco y el Teatro Colón. Moderno y de confortables instalaciones. Cerramientos externos acústicos.

Gran Hotel Dorá ★★★★

Maipú 963 (Retiro)

Tel.: 4312.7391 Fax 4312.8134

93.

Precios: 2 130 **Di** 15 **C** 25 20

Tarjetas: **AE, DC, MC, V**

Un clásico y económico en su categoría. Excelente ubicación, a cien metros de Florida y Paraguay.

Italia Romanelli ★★★★

Reconquista 647 (Centro)

Tel.: 4312.6361 Fax: 4312.6369

97.

Precios: 2 134 Di A 15 C 25 10

Tarjetas: AE, DC, MC, V

Piscina cubierta a una cuadra, incluida en el precio. Restaurante 24 hs con opciones de menú fijo económico.

Lafayette ★★★★

Reconquista 546 (Centro)

Tel.: 4393.9081 Fax: 4393.2728

83.

Precios: 2 150 Di A 15 C 25 PC 206

Tarjetas: AE, DC, MC, V

Hotel tradicional remodelado con estilo moderno. En zona céntrica.

Lancaster ★★★★

Avda. Córdoba 405 (Retiro)

Tel.: 4311.3021 Fax 4312.4068

104.

Precios: 2 135 Di A 50 C 50

Tarjetas: AE, DC, MC, V

Pocos servicios pero ambientado en un bonito edificio de 1945.

Nogaró ★★★★

Diagonal Sur 562 (Barrio Sur)

Tel.: 4331.0091 Fax 4331.6791

140.

Precios: 2 145 Di A 16 C 30

Tarjetas: AE, DC, MC, V

A metros de Plaza de Mayo, en un edificio de 1934 poco modernizado y de ambiente tranquilo.

Presidente ★★★★

Cerrito 850 (Retiro)

Tel.: 4816.2222 Fax 4816.5985

250.

Precios: 2 190 Di A 20 C 20

Tarjetas: AE, DC, MC, V

En un edificio torre, frente a la Avda. 9 de Julio.

República ★★★★

Cerrito 370 (Centro)

Tel.: 4382.4011 Fax 4382.4050

209.

Precios: 2 99 Di

Tarjetas: AE, DC, MC, V

Decoración un tanto fuera de moda, pero los cuartos del frente poseen balcón sobre la Avda. 9 de Julio. El hotel cuenta con baños turcos.

Rochester ★★★★

Esmeralda 542 (Centro)

Tel.: 4326.6076 Fax 4322.4689

128.

Precios: 2 134 Di A 15 C 20

Tarjetas: AE, DC, MC, V

Ambiente clásico en un edificio de los años 50. Restaurante económico.

Savoy ★★★★

Avda.Callao 181 (Congreso)

Tel.: 4370.8000 Fax 4370.8080

180.

Precios: 2 182 Di A 25 C 25 15

Tarjetas: AE, DC, MC, V

A una cuadra del Congreso Nacional.

Ayacucho Palace ★★★

Ayacucho 1408 (La Recoleta)

Tel./Fax: 4806.1815

70.

Precios: 2 81 Di A 15 C 15

Tarjetas: AE, DC, MC, V. DTO

Casa antigua reciclada a cuatro cuadras de la Recoleta gastronómica. Ambiente tranquilo.

Columbia Palace ★★★

Avda. Corrientes 1533 (Centro)

Tel.: 4373.1906 Fax 4373.2029

67.

Precios: 2 76 Di 7

Tarjetas: AE, DC, MC, V

Moderno, en una zona muy animada de la Avda. Corrientes y a cuatro cuadras del Obelisco.

Alojamiento

Eibar ★★★

Florida 330 (Centro)
Tel.: 4325.6661 Fax 4325.4842
92.
Precios: 2 80 Di
Tarjetas: **AE, DC, MC, V. DTO**
Moderno y en la zona más animada de la ciudad.

Embajador ★★★

Carlos Pellegrini 1181 (Retiro)
Tel.: 4326.5302 Fax 4326.5311
60.
Precios: 2 106 Di
Tarjetas: **AE, DC, MC, V. DTO**
Moderno, ubicado frente a la Avda. 9 de Julio. Rebaja del 20% por pago en efectivo.

Gran Hotel De la Paix ★★★

Rivadavia 1155 (Centro)
Tel.: 4381.8061 Fax 4381.8063
70.
Precios: 2 78 Di
Tarjetas: **AC, MC, V**
A metros de Avda. de Mayo y Avda. 9 de Julio. Edificio antiguo reciclado.

Impala ★★★

Libertad 1215 (Retiro)
Tel.: 4816.0430 Fax 4816.0431
60.
Precios: 2 106 Di 16
Tarjetas: **AE, DC, MC, V**
Moderno y elegante, en un barrio de boutiques próximo a La Recoleta.

Liberty ★★★

Avda. Corrientes 632 (Centro)
Tel.: 4325.0261 Fax 4325.0269
94.
Precios: 2 88 Di A 10 C 10
Tarjetas: **AE, MC, V. DTO**
Muy cerca de Avda. Corrientes y Florida.
Restaurante y cafetería económicos, de lunes a viernes.

Orly ★★★

Paraguay 474 (Retiro)
Tel.: 4312.5344 Fax: 4312.5348
162.
Precios: 2 70 Di 14
Tarjetas: **AE, DC, MC, V**
Moderno, muy cerca de Florida, Plaza San Martín y Puerto Madero.

Phoenix ★★★

San Martín 780 (Centro)
Tel.: 4312.4845 Fax 4312.2846
53.
Precios: 2 85 Di A 12 C 12
Tarjetas: **AE, DC, MC, V. DTO**
El hotel nació integrado al precioso edificio de Galerías Pacífico, a una cuadra de Florida.

Plaza Francia ★★★

Pasaje Schiaffino 2189 (La Recoleta)
Tel.: 4804.9631 Fax 4804.9632
50
Precios: 2 152 Di
Tarjetas: **AE, DC, MC, V.**
Clientela de negocios que busca la tranquilidad antes que el precio; en un recoleto pasaje, muy cerca del bullicio de La Recoleta.

Promenade ★★★

Marcelo T. de Alvear 444 (Retiro)
Tel.: 4312.5681 Fax 4311.5761
60.
Precios: 2 65 D 4 15
Tarjetas: **DC, MC, V**
Hotel moderno y confortable, cerca de Florida y Plaza San Martín.

Regis ★★★
Lavalle 813 (Centro)
Tel./Fax: 4327.2605
84.
Precios: 2 78 **Di**
Tarjetas: **MC, V. DTO**
Hotel tradicional situado en una animada esquina, entre la calle Florida y el Obelisco.

Waldorf ★★★
Paraguay 450 (Retiro)
Tel.: 4312.2071 Fax 4312.2079
120.
Precios: 2 75 **Di** 16
Tarjetas: **AE, V**
Muy cerca de Florida, Plaza San Martín y Puerto Madero.

Astoria ★★
Avda. de Mayo 916 (Centro)
Tel.: 4334.9061 Fax 4334.9065
63.
Precios: 2 55 **D** 3
Tarjetas: **AE, DC, MC, V. DTO**
Como los centenarios hoteles de la Avda. de Mayo, ostenta las letras originales de cuerpo y sin fondo, colocadas entre balcones, en el frente del edificio.

Lisboa Palace ★★
Bartolomé Mitre 1282 (Centro)
Tel.: 4381.2152 Fax: 4812.0341
45.
Precios: 2 50 **Di** 10
Tarjetas: **AE, MC, V**
Moderno, ubicado en el Centro pero fuera de la zona turística.

Nuevo Mundial Hotel ★★
Avda. de Mayo 1298 (Centro)
Tel.: 4383.0011 Fax: 4383.6318
98.
Precios: 2 63 **Di** **A** 12 **C** 12
Tarjetas: **AE, DC, MC, V. DTO**
En un edificio de principios del siglo XIX.

Premier ★★
Avda. Corrientes 1455 (Centro)
Tel.: 4371.3401 Fax 4371.3403
65.
Precios: 2 55 **Di**
Tarjetas: **AE, DC, MC, V. DTO**
Hotel simpático y económico, decorado sin pretensiones. Los cuartos del frente son más ruidosos pero tienen TV color.

Alfa ★
Riobamba 1064 (La Recoleta)
Tel./Fax: 4812.3719
54
Precios: 2 60 **Di** 10
Tarjetas: **AE, DC, MC, V.**
A una cuadra de los cines y confiterías de avda.Santa Fey Callao.

Brisas ★
Tacuarí 1621 (Constitución)
Tel.: 4300.5076 Fax: 4300.5077
40
Precios: 2 35 **D** 3 6
Tarjetas: **AE, DC, MC, V**
Hotel de barrio, a cuatro cuadras del Parque Lezama. Algunas habitaciones tienen TV color.

El Cabildo ★
Lavalle 748 (Centro)
Tel.: 4322.6745 Fax: 4322.6695
40.
Precios: 2 45
Tarjetas: Únicamente en efectivo.
Antiguo, a cien metros de Lavalle y Florida.

La Giralda ★
Tacuarí 17 (Barrio Sur)
Tel.: 4345.3917 Fax: 4342.2142
61.
Precios: 2 35
Tarjetas: Únicamente en efectivo.
A metros de Avda. de Mayo. Descuento a estudiantes.

Comer y beber

Zonas gastronómicas

Buenos Aires ofrece diversos paseos gastronómicos que pueden recorrerse a pie hasta elegir el sitio indicado. La Recoleta y Puerto Madero están de moda y son más caros. Los restaurantes de Monserrat se concentran en la calle Venezuela al 1100-1500. Palermo Viejo cuenta con cafés y sitios para comer. Entre Palermo y Belgrano, la capital culinaria del barrio Las Cañitas es la calle Báez. Los Carritos de la Avda. Costanera Norte ofrecen parrilla y cocina porteña al borde del río. Más populares son los comedores de la calle Montevideo al 300 y las pizzerías de la Avda.Corrientes. En La Boca predominan cantinas de pastas y pescado. La oferta de Tigre son sus parrillas ribereñas y los recreos y comedores de las islas. La Avda.del Libertador, entre Olivos y San Isidro, es un corredor arbolado con atractivos lugares para comer y beber en la vereda o en terrazas con jardín. Frente al Hipódromo de San Isidro, las típicas caballerizas se transformaron en megarrestaurantes muy concurridos. Una opción económica es el menú fijo o el tenedor libre, cada vez más aceptado para comer generosamente gastando poco dinero. Algunas raciones alcanzan para dos personas de apetito moderado. En las parrillas se pueden pedir medias porciones. Los vinos nacionales suelen ser caros en relación a los platos. La reserva nocturna es aconsejable los fines de semana y feriados.

◗ ***Símbolos de hoteles (☛ 4)***

Restaurantes

Clark's $$$$

Sarmiento 645 (Centro)

Tel.: 4325.1960

Tarjetas: **AE,DC, MC, V**

Cierra: Sábados y domingos.

Especialidades: Centolla fueguina. Ostras y langostas.

Cocina europea. Funciona en el local que perteneciera a una antigua sastrería de estilo victoriano. Noches líricas.

Katrine $$$$

Avda. Alicia Moreau de Justo 138 (Puerto Madero)

Tel.: 4315.6221

Tarjetas: **AE, DC, MC, V**

Cierra: Sabados mediodía. Una semana en verano.

Especialidades: Ravioles de rúcula. Ravioles de salmón.

Cocina europea. Pescados y pastas de cocción liviana y salsas suaves. Moderno y cálido, con vista a las amarras del puerto.

La Bourgogne $$$$

Ayacucho 2027 (La Recoleta)

Tel.: 4805.3857

Tarjetas: **AE, MC, V**

Cierra: Sábado mediodía y domingo.

Especialidades: Cordero con hierbas. Bouquet de langostinos al sésamo. Carnes de caza.

El restaurante del Alvear Palace Hotel. Excelente cocina francesa.

Lola $$$$

Roberto M.Ortiz 1805 (La Recoleta)

Tel.: 4804.3410

Tarjetas: **AE, DC, MC, V**

Cierra: Nunca.

Especialidades: Magret de pato laqueado con miel y especias. Codornices rellenas.

Cocina europea. Tradicional enclave gastronómico de La Recoleta.

Tomo I $$$$

Carlos Pellegrini 525 (Centro)

Tel.: 4326.6695

Tarjetas: **AE, DC, MC, V**

Cierra: Sábado mediodía y domingo.

Especialidades: Fideos crocantes con anchoas, alcaparras y oliva. Ravioles de pato. Faisán con castañas y setas.

Cocina de autor, probablemente la mejor gastronomía de la ciudad.

Restaurantes

(PRECIOS POR COMENSAL)

	MENOS DE $15	DE $15 A $25	DE $25 A $40	MAS DE $40	ENCANTO ESPECIAL
BICE				●	
CABAÑA LAS LILAS				●	
CLARIDGE'S			●		
CLARK'S				●	◆
CAMPO DEI FIORI		●			
CLUB SIRIO		●			◆
COCINA SALUD	●				
CHIQUILÍN		●			
DORÁ			●		
DESNIVEL	●				
EL MIRASOL			●		
EL NAVEGANTE	●				
EL SANJUANINO	●				
FLORIAN			●		
HAPPENING			●		
HOSTAL DE CANIGÓ			●		
IL MATTERELLO		●			
KATRINE				●	
LA BISTECCA	●				
LA BOURGOGNE				●	
LA BRIGADA		●			
LA CASA POLACA		●			
LA CÁTEDRA			●		
LA CHACRA		●			
LA ESQUINA DE LAS FLORES	●				
LA PAROLACCIA		●			
LA QUERENCIA	●				
LA ROBLA		●			
LA VIEJA ROTISERÍA	●				
LEZAMA	●				
LOLA				●	
LO RAFAEL		●			
LOS AÑOS LOCOS			●		
MORENA			●		◆
MORIZONO			●		
NICOLE DE MARSEILLE		●			
PAN Y TEATRO	●				
PEDEMONTE			●		
PLAZA MAYOR		●			
RESTAURANTE RUSO		●			
RODIZIO COSTANERA				●	
SABOT		●			
SORRENTO			●		
SUCATH DAVID		●			
SUPERMERCADOS COTO	●				
TANCAT		●			
TOMO I				●	
ZUR EICHE			●		◆

Comer y beber

Bice $$$

Avda. Alicia Moreau de Justo 192
(Puerto Madero)
Tel.: 4315.6216
Tarjetas: **AE,DC, MC, V**
Cierra: Nunca.
Especialidades: Ravioli della massaia.
Gnocchi de papa con pesto.
Alta cocina italiana. Pasta y pescado.

Cabaña Las Lilas $$$

Avda. Alicia Moreau de Justo 516
(Puerto Madero)
Tel.: 4313.1336
Tarjetas: **AE, V**
Cierra: Nunca.
Especialidades: Baby beef. Chorizo bombón.
Parrilla de carnes seleccionadas; ambientación a la moda gauchesca.

Claridge's $$$

Tucumán 535
(Centro)
Tel.: 4314.7700
Tarjetas: **AE, DC, MC, V**
Cierra: Sábados, domingos y Enero.
Especialidades: Tallarines Claridge's.
Carnes de caza. Pastas.
El tradicional Grill del Claridge Hotel, especializado en cocina europea. Menú ejecutivo.

Dorá $$$

Avda. Leandro N.Alem 1016 (Retiro)
Tel.: 4311.2891
Tarjetas: **V**
Cierra: Domingo.
Especialidades: Jamones. Ranas. Arenques. Milanesas y supremas. Cazuela de pulpo. Conejo al vino blanco. Omelettes. Pescados y mariscos.
Cocina porteña; porciones abundantes.

El Mirasol $$$

Avda. Alicia Moreau de Justo 202
(Puerto Madero)
Tel.: 4315.6277
Tarjetas: **AE, DC, MC, V**
Cierra: Nunca.
Especialidades: Empanadas. Matambrito de cerdo. Lomo con vegetales. Chivito. Achuras.
Parrilla de calidad; porciones generosas.

Florian $$$

Tucumán 133 (Centro)
Tel.: 4312.8252
Tarjetas: **AE, DC, MC, V**
Cierra: Sábado mediodía y domingo.
Especialidades: Cochinillo. Pastas caseras con albahaca. Centolla. Puchero. Omelettes.
Cocina internacional y decoración suntuosa.

Happening $$$

Avda. Alicia Moreau de Justo 310
(Puerto Madero)
Tel.: 4319.8715
Tarjetas: **AE, DC, MC, V**
Cierra: Nunca.
Especialidades: Cordero con crema de ajo. Colita de cuadril. Selección de Achuras.
Parrilla y cocina internacional.

Hostal de Canigó $$$

Chacabuco 863 (San Telmo)
Tel.: 4307.5310
Tarjetas: **AE, DC, MC, V**
Cierra: Nunca.
Especialidades: Cigalas del Cantábrico con salsa romesco. Zarzuela de pescados y mariscos. Butifarras artesanales. Tapas.
Cocina mediterránea y bodega de vinos argentinos y españoles.

La Cátedra $$$

Cerviño 4699 (Palermo Nuevo)
Tel.: 4777.4601

Tarjetas: **AE, DC, MC, V**
Cierra: Nunca.
Especialidades: Ravioles de espinaca con mantequilla de salvia. Lomo de conejo con varias pimientas y tomillo. Pastas y carnes.
Ambientado en una típica casa de barrio.

Los Años Locos $$$

Avda. Costanera Norte s/n y La Pampa (Parque Norte)
Tel.: 4784.8681
Tarjetas: **AE, DC, MC, V**
Cierra: Nunca.
Especialidades: Bife de chorizo. Matambrito tiernizado. Brochettes. Achuras.
Parrillada clásica de calidad en la zona de los carritos.

Morena $$$

Avda. Costanera Norte s/n y La Pampa (Puerto Norte)
Tel: 4786.0204
Tarjetas: **AE, DC, MC, V**
Cierra: Nunca.
Especialidades: Sorrentinos de centolla. Merluza negra a la plancha con verduras.
Cocina internacional. Situado en un amarradero de yates con vista panorámica sobre Buenos Aires.

Morizono $$$

Reconquista 899 (Retiro)
Tel.: 4314.4443
Tarjetas: **AE, DC, MC, V**
Cierra: Sábado mediodía.
Especialidades: Brotes de bambú con copos de pescado. Arroz con tempura de langostinos. Helado de jengibre con frutas del bosque.
Restaurante japonés. Shushi bar.

Pedemonte $$$

Avda. de Mayo 676 (Centro)
Tel.: 4331.7179
Tarjetas: **AE, DC, MC, V**
Cierra: Lunes a miércoles noche, sábado mediodía, domingo noche.
Especialidades: Carnes. Pescados. Omelettes.
Cocina porteña. Fundado en 1890, cuando la Avda.de Mayo no existía.

Rodizio Costanera $$$

Avda.Costanera Norte s/n y La Pampa (Puerto Norte)
Tel.: 4788.4217
Tarjetas: **AE, DC, MC, V**
Cierra: Nunca.
Especialidades: Parrilla y cocina porteña.
Precio único. Desfile de raciones de carnes y achuras en su justa cocción. Vista panorámica.

Zur Eiche $$$

Avda. San Martín 1535 (Vicente López)
Tel.: 4791.9379
Tarjetas: **AE, DC, V**
Cierra: Martes, lunes a viernes mediodía.
Especialidades: Pescados ahumados. Liebre con spatzle. Jamón serrano de jabalí.
Cocina y ambiente auténticamente alemanes. Cervecería y Jardín.Colectivos: 59, 60, 130, 152.

Campo dei Fiori $$

Venezuela 1411 (Monserrat)
Tel.: 4381.1800
Tarjetas: Únicamente efectivo.
Cierra: Nunca.
Especialidades: Pastas con salsas especiales.
Cocina italiana y porteña. Carnes.

Club Sirio $$

Ayacucho 1496 (La Recoleta)
Tel.: 4806.5764
Tarjetas: **AE, DC, MC, V**
Cierra: Domingo y mediodía.
Especialidades: Cocina de Medio Oriente.
Precio fijo del cubierto. Menú degustación con platos fríos y calientes. Gran ambientación en el salón de un petit hotel.

Comer y beber

Chiquilín $$

Sarmiento 1599 (Centro)

Tel.: 4373.5163

Tarjetas: **AE, DC, MC, V**

Cierra: Nunca.

Especialidades: Pastas y carnes. Pollo al verdeo. Sorrentinos al pesto.

Cocina porteña tradicional. Platos sabrosos y ambiente muy animado.

Il Matterello $$

Martín Rodríguez 517 (La Boca)

Tel.: 4307.0529

Tarjetas: **AE, DC, MC, V**

Cierra: Domingo noche, lunes y enero.

Especialidades: Cima rellena. Tagliatelle alla rúcola. Ravioli genovesi.

Cocina italiana elaborada en familia en una casa del barrio.

La Brigada $$

Estados Unidos 465 (San Telmo)

Tel.: 4361.5577

Tarjetas: **AE, DC, MC, V**

Cierra: Lunes.

Especialidades: Carnes y achuras a punto. Pechito de cerdo. Chinchulines de chivito.

Parrilla. Apreciada por los turistas de la Feria de San Telmo.

La Casa Polaca $$

Jorge L.Borges 2076 (ex Serrano) (Palermo Viejo)

Tel.: 4774.7621

Tarjetas: **AE, DC, MC, V**

Cierra: Mediodía, Domingos y lunes.

Especialidades: Escalopes de lomo en salsa crema. Pierogi a la reina. Cerdo con salsa de frambuesa. Gulash.

Atención casera y cálido ambiente de club social. Reserva obligada.

La Chacra $$

Avda. Córdoba 941 (Centro)

Tel.: 4393.4581.

Tarjetas: **AE, DC, MC, V**

Cierra: Nunca.

Especialidades: Carnes y achuras a la parrilla. Chivito al asador.

La carne, el ambiente y la atención que espera recibir el turista.

La Parolaccia $$

Avda. Alicia Moreau de Justo 1052 (Puerto Madero)

Tel.: 4343.1679

Tarjetas: **AE, MC, V**

Cierra: Nunca.

Especialidades: Sorrentinos Caruso. Ravioles scarparo.

Sabrosa cocina italiana y porteña.

La Robla $$

Viamonte 1615 (Centro)

Tel.: 4811.4484

Tarjetas: **AE, DC, MC, V**

Cierra: Nunca.

Especialidades: Tapas. Cazuelas. Paellas.

Platos españoles en un ambiente informal. Pescados y mariscos.

Lo Rafael $$

México 1501 (Monserrat)

Tel.: 4383.7943

Tarjetas: **AE, DC, MC, V**

Cierra: Lunes.

Especialidades: Variedad de pastas.

Cocina porteña de porciones abundantes. Pescados y mariscos.

Nicole de Marseille $$

Defensa 714 (San Telmo)

Tel.: 4362.2340

Tarjetas: Únicamente efectivo.

Cierra: Sábado mediodía, domingo a miércoles noche.

Especialidades: Coq-au-vin. Patés caseros. Conejo a la cazadora. Omelettes.

Cocina francesa con cubierto de precio único (incluye el vino).

Plaza Mayor $$
Venezuela 1399 (Monserrat)
Tel.: 4383.3802
Tarjetas: Únicamente efectivo.
Cierra: nunca.
Especialidades: Puchero. Tortillas. Paella. Tapas. Callos. Natillas.
Cocina hispano-porteña. Pescados.

Restaurante Ruso $$
Azcuénaga 1562 (La Recoleta)
Tel.: 4805.7079
Tarjetas: **MC, V**
Cierra: Nunca.
Especialidades: Pollo a la Kiev. Arenques a la crema. Vareniki con papas y hongos.
Cocina rusa sencilla y calórica.

Sabot $$
25 de mayo 756 (Centro)
Tel.: 4313.6587
Tarjetas: **AE, DC, V**
Cierra: Sábado mediodía y domingo.
Especialidades: Conejo al vino blanco. Sesos a la milanesa. Chivito al horno. Fiambres.
Restaurante de cocina porteña.

Sorrento $$
Avda. Corrientes 668 (Centro)
Tel.: 4325.7774
Tarjetas: **AE, DC, MC, V**
Cierra: Domingo.
Especialidades: Paellas. Pulpo a la gallega. Festival de pastas caseras.
Un clásico de la cocina porteña, fundado en 1900.

Sucath David $$
Tucumán 2349 (Barrio del Once)
Tel.: 4952.8878
Tarjetas: **AE, DC, MC, V**
Cierra: Viernes y domingo noche, sábado mediodía y feriados religiosos.
Especialidades: Cocina oriental.
Carnes, pastas, milanesas; cocina árabe y judía con rito kosher. También platos de cocina porteña.

Tancat $$
Paraguay 645 (Centro)
Tel.: 4312.6106
Tarjetas: **AE, MC, V**
Cierra: Domingo.
Especialidades: pescados y raciones.
Cocina española. Degustación de tapas y cerveza en la barra.

Cocina Salud $
Avda. Belgrano 1715 (Monserrat)
Tel.: 4373.1689
Tarjetas: Únicamente efectivo.
Cierra: Domingo.
Cocina de bajo contenido calórico, auspiciada por Fundación Favaloro.

Desnivel $
Defensa 855 (San Telmo)
Tel.: 4300.9081
Tarjetas: Únicamente efectivo.
Cierra: Lunes.
Especialidades: Parrilla. Cocina porteña.
Preferido de los turistas que visitan San Telmo y quieren comer muy bien sin gastar de más. Muy concurrido los domingos.

El Navegante $
Viamonte 154 (Centro)
Tel.: 4311.0641
Tarjetas: Únicamente efectivo.
Cierra: Domingo.
Especialidades: Mondongo a la española. Canelones a la Rossini. Pulpo a la gallega.
Cocina porteña y pescados. Un bodegón como los de antes.

El Sanjuanino $
Posadas 1515 (La Recoleta)
Tel.: 4804.2909
Tarjetas: Únicamente efectivo.
Cierra: nunca.
Especialidades: pastas, empanadas, locro.
Para comer en una zona cara sin gastar demasiado.

Comer y beber

La Bistecca $

Avda. Alicia Moreau de Justo 1890 (Puerto Madero)

Tel.: 4514.4998

Tarjeta: Únicamente efectivo.

Cierra: Nunca.

Especialidades: Parrilla y pasta a punto.

Precio fijo y buffet libre.

La Esquina de las Flores $

Avda. Córdoba 1587 (Centro)

Tel.: 4813.3630

Tarjetas: Únicamente efectivo.

Cierra: Sábado mediodía y domingo. Lunes a viernes después de 21 horas.

Especialidades: Carbonada de vegetales. Tartas. Guiso de arroz integral.

Almacén y comedor naturista. Cocina vegetariana y macrobiótica.

La Querencia $

Junín 1314 (La Recoleta)

Tel. 4821.1888

Tarjetas: Únicamente efectivo.

Cierra: Nunca.

Especialidades: Empanadas de carne.

Platos y postres criollos.

La Vieja Rotisería $

Defensa 963 (San Telmo)

Tel.: 4362.5660

Tarjetas: Únicamente efectivo.

Cierra: Nunca.

Especialidades: Cochinillo. Matambrito.

Turistas y parroquianos entreverados en un clima de entrecasa.

Lezama $

Brasil 359 (San Telmo)

Tel.: 4361.0114

Tarjetas: Unicamente efectivo.

Cierra: Nunca.

Especialidades: Puchero. Supremas de pollo.

Cocina porteña. Restaurante de barrio con ambiente familiar.

Pan y Teatro $

Las Casas 4095 (Boedo)

Tel.: 4924.6920

Tarjetas: Únicamente efectivo.

Cierra: Enero y febrero mediodía.

Especialidades: Calabaza rellena. Pastel de humita. Quesos, dulces y postres mendocinos.

Comida criolla cocinada en familia.

Supermercados Coto $

Viamonte 1571 (Centro)

Tel.: 4811.9824

Avda. Cabildo 545 (Palermo)

Tel.: 4771.1011

Tarjetas: Únicamente en efectivo.

Cierra: Nunca.

Excelente patio de comidas, con menú variado, abundante y muy económico. Evitar las horas pico.

Pizzerías clásicas

El Cuartito $

Talcahuano 937 (Retiro)

Tel.: 4393.1758

Tarjetas: Únicamente efectivo.

Cierra: Nunca.

Especialidades: Pizza de muzzarella. Pizza de anchoas. Fugazzetta (cebolla y queso).

Pizzería con aspecto de bodegón.

Güerrín $

Avda. Corrientes 1368 (Centro)

Tel.: 4373.8141

Tarjetas: **AE, DC, MC, V**

Cierra: Nunca.

Especialidades: Pizza al molde con fainá.

Un clásico de la pizza gruesa en porciones, al paso y sin cubiertos; todavía se estila acompañarla con un vaso de moscato y, si cabe, con la no menos clásica sopa inglesa.

La Guitarrita $

Ciudad de La Paz 2402 (Belgrano)
Tel.: 4784.5149

Tarjetas: Únicamente efectivo.
Cierra: Nunca.
Especialidades: Pizza a la piedra.

Con aires de cantina, lejos de convertirse en pizzería fashion.

Los Inmortales $

Avda. Corrientes 1369 (Centro)
Tel.: 4373.5303

Tarjetas: **AE, DC, MC, V**
Cierra: Nunca.
Especialidades: Pizza a la piedra.

Pizzas tradicionales y modernas, con ambiente de restaurante.

Bares y confiterías

Suelen incluir una propuesta gastronómica.

Bar Británico
Avda. Brasil 399 (San Telmo)
Tel.: 4300.6894
El visitante aún puede optar por el anacrónico "Salón familias" o bien embarcarse en una partida de dominó, escoltado por un vaso de grapa con "ingredientes".

Café Tortoni
Avda. de Mayo 829 (Centro)
Tel.: 4342.4328
Café símbolo de Buenos Aires. Tertulias musicales y eventos literarios y artísticos.

Clásica y Moderna
Avda. Callao 892 (Centro)
Tel.: 4812.8707
Café-librería de ambiente cálido. Piano-bar y eventos.

Confitería Ideal
Suipacha 384 (Centro)
Tel.: 4326.1081
Fundada en 1920. Lo clásico es sentarse a tomar el té con masas y palmeritas. Desayunos y almuerzos económicos en un lugar encantador. Academia de tango vespertina.

Confitería Richmond
Florida 466 (Centro)
Tel.: 4322.1341
"La Richmond" es un reducto de antaño en pleno Centro. Café, repostería, comidas ligeras.

El Boliche de Don Jesús
Cabrera 4901 (Palermo Viejo)
El último bar-almacén de Buenos Aires, fundado en 1924. No hay mucho para pedir, sí para evocar. Desayunos y aperitivos.

La Biela
Avda. Quintana 596 (La Recoleta)
Tel.: 4804.4135
El más snob y famoso de los cafés de La Recoleta. Para consagrar cualquier cita sin dejar de estar en la vidriera.

Le Carafon
Avda. Callao 1143 (La Recoleta)
Tel.: 4815.1966
Degustación de vinos franceses y argentinos; cervezas belgas. Sillones y ambiente cálido en un petit hotel de cuatro pisos.

Queen Bess
Avda. Santa Fé 868 (Retiro)
Tel.: 4311.3885
Oasis imperturbable, sin la menor señal de querer parecerse a los bares modernos. Acordes de piano y, ocasionalmente, tango y jazz.

Shoppings

Abasto de Buenos Aires
Avda. Corrientes 3247
Tel.: 4959.3400
En el edificio reciclado del antiguo Mercado de Abasto.

Alto Palermo
Avda.Santa Fe 3253 (Barrio Norte)
Tel.: 4821.6030

Galerías Pacífico
Florida 753
Tel.:4319.5118
Preciosa tienda del siglo XIX reciclada.

Paseo Alcorta
Salguero 3172 (Palermo)
Tel.: 4804.9666

Patio Bullrich
Avda.del Libertador 750 (Retiro)
Tel.: 4815.3501

Mercados

Mercado Central de Buenos Aires
Autopista Ricchieri s/n.
Tel.: 4480.5600
Lunes a viernes, 9.00-17.00.
Alimentos y productos regionales.
Visitas guiadas.

Mercado de Belgrano
Juramento 2527 (Belgrano)
Lunes a sábados, 8.00-13.00 y 17.00-20.30.
El mercado urbano de alimentos mejor surtido de la ciudad.
Especialidades en fiambres y quesos.

Mercado de las Flores
Avda. Corrientes 4062 (Almagro)
Lunes a sábados, 20.00-22.30.
Mercado proveedor de flores de Buenos Aires. Subte: Medrano (B).

Artesanías

Artesanía Indígena

Arte y Esperanza
Balcarce 234
Tel.: 4343.1455

Artesanías Argentinas
Montevideo 1386
Tel.: 4812.2650

Artesanía urbana

Ferias de artesanías
Los domingos en La Recoleta, Mataderos, Parque Lezama, San Isidro, Plaza de Belgrano y otros paseos.

Mercado de las Luces
Perú esquina Alsina (Barrio Sur)
Lunes a viernes, 11.00-19.00; domingos, 15.00-19.00

Regalos artesanales

En Palermo Viejo se encuentran diseños y adornos de autor, artesanías en papel, muebles y fetiches exóticos, ropa de telar con diseños de vanguardia, y otras rarezas y objetos no convencionales. Los "talleres de artes y oficios" funcionan en simpáticos galpones o en casas típicas del barrio, diseminados entre las calles Cabrera, Malabia, Soler y Thames.

Antigüedades

Los anticuarios se encuentran en torno de Plaza Dorrego y en la calle Defensa 800-1100 (San Telmo); objetos antiguos también en la zona de Libertad esquina Juncal. Muebles antiguos se consiguen a mejor precio en las tiendas de viejo de Floresta (Avda. Rivadavia 7000-8000).

Arita
Avda. Alvear 1891
Tel.: 4804.4031/4045
Antigüedades europeas; alhajas.

Della Signoria
Arroyo 981
Tel.: 4393.4344
Muebles y objetos europeos.

Galería del Este
Maipú 971
Varias tiendas de antigüedades.

Galería de los Anticuarios
Esmeralda 623
Varias tiendas de antigüedades.

Juan Carlos Pallarols
Defensa 1094
Tel.4361.7360
Orfebrería.

La Perricholi
Paraguay 589
Tel.: 4312.3724
Platería colonial; arte sacro y precolombino.

Libros

Alberto Casares
Suipacha 521
Tel.: 4322.0794
Clásico y moderno; viajeros; buen reducto para hallar a Borges.

El Ateneo
Florida 340
Tel.: 4325.6801
Novedades, idiomas, turismo.

Gandhi
Avda. Corrientes 1743
Tel.: 4374.7501
Literatura, humanística.

Huemul
Avda. Santa Fe 2237
Tel.: 4825.2290
Un auténtico bouquin, pero con limitaciones para la búsqueda.

La Librería de Avila
Alsina 500
Tel.: 4343.3374
Sótano de obras antiguas.

Librería del Fondo
Avda. Santa Fe 1685
Tel.: 4812.6685

Librerías ABC
Avda. Córdoba 685
Tel.: 4314.7887

Losada
Avda. Santa Fe 2074
Tel.: 4823.8774

Tomás Pardo
Maipú 618
Tel.: 4322.0496
Historia y tradiciones argentinas.

Antiguos, raros y agotados

Aquilanti
Rincón 79
Tel.: 4952.4546
Rioplatenses y argentinos.

El Glyptodon
Ayacucho 734
Tel.: 4374.7973
El lugar ya es todo un hallazgo.

Fernández Blanco
Tucumán 712
Tel.: 4322.1010
Rioplatenses y argentinos.

Romano
Lavalle 2008
Tel.: 4951.9476
Muy bien provista y organizada.

Anticuarios

Aizenman Libros
Avda. Las Heras 2153, planta baja A
Tel.: 4803.3666

L' Amateur
Esmeralda 882
Tel.: 4311.8961
También mapas antiguos.

Indumentaria

Las marcas de moda se encuentran en Avda. Santa Fe (entre Larrea y Libertad) y Avda. Cabildo, entre José Hernández y Monroe (Belgrano). Munro es la ciudad de la indumentaria deportiva, informal y de segunda selección, con precios más populares (colectivos 41 y 93).

Moda masculina

Cervantes
Avda. Corrientes 920 (y sucursales)
Tel.: 4326.0176

Giesso
Avda. Santa Fe 1557 (y sucursales)
Tel.: 4811.3717

Guido
Florida 704
Tel.: 4322.7548
Zapatería, tradicional mocasín de cuero argentino.

Pieles

Charles Calfun
Florida 918
Tel.: 4311.1147

François Saber
Florida 963
Tel.: 4315.2770

Wendall
Florida 934
Tel.: 4311.8135

Tiendas de modas

C & A
Florida 754 (y sucursales)
Tel.: 4393.6187

Johnson's
Florida 313 (y sucursales)
Tel.: 4327.3410

Zara
Avda. Santa Fe 1937
Tel.: 4816.8600

Belleza femenina

Pozzi
Avda. Santa Fe 1326
Tel.: 4811.1212
Perfumería, cosméticos, lencería, peinados, pelucas.

Varios

Bebidas y comestibles

Corso
Maipú 443
Tel.: 4322.8886
Bombonería fina.

El Fénix
Avda. Santa Fe 1199
Tel.: 4811.0363
Alimentos, especias y bebidas.

El Gato Negro
Avda. Corrientes 1669
Tel.: 4374.6671
Almacén de alimentos finos.

Freddo
Avda. Quintana 502 (La Recoleta)
Tel.: (0800) 3337.3336
Heladerías de calidad.

Havanna
Florida 165
Alfajores y dulce de leche.

La Esquina de las Flores
Avda. Córdoba 1587
Tel.: 4813.3630
Almacén naturista y macrobiótico.

Panadería Armenia
Avda. Raúl Scalabrini Ortiz 1317 (Palermo Viejo)
Tel.: 4833.0021
Comidas y productos orientales.

Savoy
Avda. Callao 35
Tel.: 4371.1995
Vinoteca y alimentos envasados.

Cuero y platería criolla

Objetos e indumentaria; artesanías de tradición gauchesca; recuerdos turísticos. tiendas en la zona de Florida esquina Paraguay.

Arandu
Paraguay 1259
Tel.: 4816.6191

Casa López
Marcelo T.de Alvear 640
Tel.: 4311.3044

◗ ***Fortín***
Avda. Santa Fe 1245
Tel.: 4812.2731
◗ ***Kelly's***
Paraguay 431
Tel.: 311.5712
◗ ***La Querencia***
Esmeralda 1018
Tel.: 4312.1879
◗ ***Rossi & Caruso***
Avda. Santa Fe 1601
Tel.: 4811.1965

● Diseño y decoración

La calle Arenales, entre Paraná y Carlos Pellegini, se especializa en bazares de regalos, telas y objetos de decoración. Las tiendas de alfombras se encuentran en la calle Viamonte al 600-800.

◗ ***Buenos Aires Design Recoleta***
Avda. Pueyrredón 2501
Tel.: 4806.1111
Bazar hipermoderno, referente del diseño y la decoración de interiores.

● Objetos de cristal

◗ ***Swarovski***
Avda. Córdoba 902
Tel.: 4328.2234
Bijouteria fina. Adornos.

● Joyería y piedras finas

◗ ***H.Stern***
Florida 1005
Tel.: 4312.4595
◗ ***Ricciardi***
Marcelo T.de Alvear 512
Tel.: 4311.1836
◗ ***Homero***
Florida 909
Tel.: 4311.1762
◗ ***Jean-Pierre***
Avda. Alvear 1892
Tel.: 4804.8303
◗ ***Zanotti***
Avda. Alvear 1850
Tel.: 4805.3211

● La calle de las joyerías

El gran bazar de las joyerías, relojerías y fotografía se halla en la calle Libertad 100-300.

● Jugueterías

◗ ***El Duende Azul***
Florida 627
Tel.: 4314.5336
◗ ***El mundo del juguete***
Florida 648
Tel.: 4314.1453

● Música

◗ ***Casa Piscitelli***
San Martín 450
Tel.: 4325.7959
Pionera en música clásica.
◗ ***Musimundo***
Florida 667 (y sucursales)
Tel.: 4576.7977
◗ ***Tower Records***
Avda. Santa Fe 1883 (y sucursales)
Tel.: 4815.3700

● Remates y subastas

◗ ***Banco Ciudad de Buenos Aires***
Esmeralda 660, piso 3
Tel.: 4322.7673
◗ ***J. C. Naón y Cía***
Guido 1785
Tel.: 4811.1685
◗ ***Roldán***
Rodríguez Peña 1673
Tel.: 4811.0340
◗ ***Saráchaga***
Juncal 1248
Tel.: 4811.0750

● Quioscos

Pequeño comercio de venta de golosinas, cigarrillos y otros productos útiles para salir del paso: pilas, artículos de toilette, aspirinas, bolígrafos, preservativos, pegamentos, cordones de zapatos, tarjetas telefónicas, fichas de parquímetros y muchas cosas más.

Ocio y actividades

Tango

Tango Show

Espectáculo de categoría, con cena y show participativo.

Armenonville
Avda. Alvear 1891 (La Recoleta)
Tel.: 4804.1033

Bar Sur
Estados Unidos 299
Tel.: 4362.6086

Buenos Aires Sur
Villarino 2359 (Barracas)
Tel.: 4301.6758
Allí se filmó la película Sur, *del director Pino Solanas.*

El Viejo Almacén
Balcarce 799 (San Telmo)
Tel.: 4307.6689

Michelángelo
Balcarce 433 (San Telmo)
Tel.: 4331.9662

Sabor a Tango
Avda. Belgrano 2378
Tel.: 4308.6022.

Señor Tango
H. Vieytes 1653 (Barracas)
Tel.: 4303.0231

Tangoteca
Avda. Alicia Moreau de Justo 1728 (Puerto Madero)
Tel.: 4311.1988

Milongas y tanguerías

Tertulias para aprender, escuchar, practicar y bailar tango.

Bar El Chino
Beazley 3566 (Nueva Pompeya)
Tel.: 4911.0215
Tango de barrio en un bodegón despojado de toda escenografía.

Club Almagro
Medrano 522 (Almagro)
Tel.: 4774.7454
Uno de los más tradicionales.

Confitería Ideal
Suipacha 384
Tel.: 4326.0521
Matinée de tango. Allí se filmó la película Tango, *de Carlos Saura.*

Pavadita
Avda. Corrientes 1218
Martes y jueves, 15.30-22.00.

Sesiones de tango

Casa de Cultura de la Ciudad
Bolívar 1
Tel.: 4372.3612
Música y baile. Domingos, 18.00 hs. Entrada gratis.

Tango en la calle

Cantantes y parejas de baile animan las ferias de Caminito (La Boca) y San Telmo. En la glorieta de la Plaza Barrancas de Belgrano, vecinos y habitués se reúnen para aprender y bailar tango con música grabada: calle 11 de Setiembre 1900; domingos, 17.00-21.00 horas.

Tango recuerdo

Museo Carlos Gardel
Avda. Santa Fe 1243
Tel.: 4811.7678
Lunes y jueves, 16.00-18.30.

Tumba de Carlos Gardel
Guzmán 640
(Cementerio de La Chacarita)
Tel.: 4553.2588.
Lunes a domingos, 7.30-18.00.

Alojamiento

Hospedaje familiar económico, sólo para bailarines y practicantes.
Se facilita el acceso a bailes y tanguerías.

Residencia María Teresa
Tel.: 4902.5059

Espectáculos

Buenos Aires ofrece un repertorio muy variado de actividades culturales con entrada gratis.

Venta anticipada de entradas

Cartelera Vea Más
Tel.: 4370.5319
Ticket Master
Tel.: 4321.9700

Cines

Más de 70 salas céntricas que se agrupan en Avda. Corrientes (entre Esmeralda y Callao), en Lavalle (entre Maipú y Carlos Pellegrini) y aledaños a Avda. Santa Fe y Avda. Callao. El complejo multicine de La Recoleta tiene 16 salas con capacidad para 3500 personas y estacionamiento. Los shoppings cuentan con salas de cine. Los miércoles, las entradas se venden a mitad de precio.

Teatros comerciales

Avenida
Avda. de Mayo 1222
Tel.: 4381.0662
Coliseo
Marcelo T.de Alvear 1125
Tel.: 4816.5943
Gran Rex
Avda. Corrientes 857
Tel.: 4322.8000
Luna Park
Bouchard 465
Tel.: 4311.5100
Maipo
Esmeralda 443
Tel.: 4322.4882
Teatro de revista.
Nacional Cervantes
Libertad 815
Tel.: 4816.4224
Visitas guiadas.
Ópera
Avda. Corrientes 860
Tel.: 4326.1335
Paseo La Plaza
Avda. Corrientes 1660
Tel.: 4370.5346
Complejo teatral. Jazz Club.
Presidente Alvear
Avda. Corrientes 1659
Tel.: 4373.4245

Espacios multiculturales

Funcionan en galpones, sótanos y otros espacios no convencionales. Auditorios pequeños y versátiles que se acomodan fácilmente a la cambiante demanda cultural de la ciudad. Presentan según los casos teatro experimental, cine, danza, poesía, humor, tango, folklore, jazz y otros eventos de carácter más cultural que comercial.

Andamio 90
Paraná 660
Tel.: 4374.1484
Babilonia
Guardia Vieja 3360 (Abasto)
Tel.: 4862.0683
Clásico del circuito alternativo.
Margarita Xirgu
Chacabuco 875 (San Telmo)
Tel.: 4300.2448
Foro Gandhi
Avda. Corrientes 1743
Tel.: 4374.7501
Music hall. Café y librería.
La Ranchería
México 1152 (Monserrat)
Tel.: 4383.7887
La Scala de San Telmo
Pasaje Giuffra 371 (San Telmo)
Tel.: 4362.1187
La Trastienda
Balcarce 460 (San Telmo)
Tel.4342.7650
Teatro Del Pueblo
Diagonal Norte 943 (Centro)
Tel.: 4326.3606
Teatro Payró
San Martín 766 (Centro)
Tel.: 4312.5922

Buenos Aires
Ocio y actividades

● Centros culturales

◗ ***Biblioteca Nacional***
Agüero 2502
Tel.: 4806.1929

◗ ***Centro Cultural General San Martín (Teatro San Martín)***
Sarmiento 1551
Tel.: 4372.2247 / 4374.1251
Teatro, artes plásticas, música y danza contemporáneas, títeres. Fotogalería. Cinemateca Argentina (cine clásico y no convencional).

◗ ***Centro Cultural Borges***
Viamonte esquina San Martín
Tel.: 4319.5359

◗ ***Centro Cultural Recoleta***
Junín 1930
Tel.: 4803.1040
Arte contemporáneo y vanguardias.

◗ ***Centro Cultural Ricardo Rojas***
Avda. Corrientes 2030
Tel.: 4954.5521 / 4954.5523
Letras, fotografía, filmoteca, danza. Reducto de la dramaturgia joven.

◗ ***Manzana de las Luces***
Perú 272
Tel.: 4342.9930
Visitas guiadas.

● Navegación en Internet

◗ ***Mediateca Alianza Francesa***
Avda. Córdoba 946
Tel.: 4322.0068

● Galerías de arte

◗ ***Christie's***
Arroyo 859
Tel.: 4393.4222

◗ ***Palatina***
Arroyo 821
Tel.: 4327.0620

◗ ***Praxis***
Arenales 1311
Tel.: 4813.8639

◗ ***Ruth Benzacar***
Florida 1000
Tel.: 4313.8480

◗ ***Van Riel***
Talcahuano 1257
Tel.: 4811.8359

◗ ***Zurbarán***
Cerrito 1522
Tel.: 4815.1556

● Música clásica

Durante todo el año, Buenos Aires ofrece numerosos conciertos gratis de gran calidad en iglesias y auditorios.

◗ ***Auditorio de Belgrano***
Virrey Loreto 2348 (Belgrano)
Tel.: 4783.1783

◗ ***Teatro Colón***
Tucumán 1171
Tel.: 4378.7300
La temporada lírica y sinfónica del teatro comienza en marzo y se extiende hasta noviembre.

Vida nocturna

● Cena y espectáculo

◗ ***Agua de Fuego***
Avda. Rivadavia 1475
Tel.: 4383.4930
Cena y show flamenco.

◗ ***Al Shark***
Avda. Raúl Scalabrini Ortiz 1550 (Palermo Viejo)
Tel.: 4833.2049
Restaurante y show árabe.

◗ ***Ávila Bar***
Avda. de Mayo 1384
Tel.: 4383.6974
Comidas y espectáculo españoles.

◗ ***Club del Vino***
Cabrera 4737 (Palermo Viejo)
Tel.: 4833.0050
Vino-bar; tango, jazz, melódico.

Los Troncos
Suipacha 732
Tel.: 4325.0156
Parrilla y espectáculo folklórico.

Rincón Andaluz
Carlos Calvo 3741
Tel.: 4931.0458
Cena y show flamenco.

Tocororo
Avda. Alicia Moreau de Justo 1050
(Puerto Madero)
Tel.: 4342.6032
Cena y ritmos latinoamericanos.

Discotecas

Varias discotecas de moda se encuentran en Palermo, debajo del viaducto del ferrocarril (Arcos del Sol); también en La Recoleta y en Avda. Costanera Norte. Pueden ofrecer cena y espectáculo.

Ave Porco
Avda. Corrientes 1980
Tel.: 4952.1821

Black
Ayacucho 1981 (La Recoleta)
Tel.: 4804.9652

Buenos Aires News
Avda. del Libertador 3883
(Paseo de la Infanta)
Tel.: 4778.1500

Bunker
Anchorena 1170
Tel.: 4963.1813
Lo más exclusivo del ambiente gay.

Caix
Avda. Costanera Norte s/n
(Complejo Costa Salguero)
Tel.: 4806.9749
Discoteca junto al río.

Contramano
Rodríguez Peña 1082
Miércoles a domingos, 0.30-6.00
Decano de los ambientes gay.

Divino Buenos Ayres
Cecilia Grierson 225
(Puerto Madero)
Tel.: 4316.8400

Coyote
Casares y Avda. Sarmiento
(Arcos del Sol)
Tel.: 4806.3533

Hippopotamus
Junín 1787 (La Recoleta)
Tel.: 4802.0500.
Ambiente para encontrar compañía.

Living
Marcelo T. de Alvear 1540
Tel.: 4815.3379
Restaurante, bar y discoteca.

Maluco Beleza
Sarmiento 1728
Tel.: 4372.1737
Ritmos brasileños.

Morocco
Hipólito Yrigoyen 851
Tel.: 4342.6046.
Restaurante y discoteca.

Pacha
Avda. Costanera Norte s/n y La Pampa
Tel.: 4788.4280

Puente Mitre
Casares y Avda. Sarmiento
(Arcos del Sol)
Tel.: 4806.0022
Pizza y discoteca.

Bandas en vivo y baile

Recitales en salones o galpones con poca o ninguna decoración.

Acatraz
Avda. Rivadavia 3636
Tel.: 4982.4818

Cemento
Estados Unidos 1234
Tel.: 4304.6228

Bares temáticos

Suelen presentar recitales, actuaciones en vivo y eventos.

Barbaro
Tres Sargentos 415
Tel.: 4311.2209
Encuentro de empresarios, artistas y mujeres bonitas.

Ocio y actividades

Bar Seddon
25 de mayo 774
Tel.: 4313.0669
Tango y otros ritmos.

Café Tortoni
Avda. de Mayo 829
Tel.: 4342.4328
Café concert de tango y jazz.

Clásica y Moderna
Avda. Callao 892
Tel.: 4812.8707
Café y libros; piano-bar, eventos.

Down Town Matías
San Martín 979
Tel.: 4312.9844
Irish pub; shows en vivo.

Druid In
Reconquista 1040
Tel.: 4312.3688
Música céltica.

Filo
San Martín 975
Tel.: 4311.0312
Arte bar frívolo y ultramoderno.

Golden
Esmeralda 1040
Tel.: 4313.4323
Show para mujeres (strippers).

Hard Rock Café
Avda. Pueyrredón 2501
(Buenos Aires Design)
Tel.: 4807.7625
Museo del Rock'n Roll. Shows.

Jazz Club
Avda. Corrientes 1660, local 46
(Paseo La Plaza)
Tel.: 4370.5346

La Cigale
25 de Mayo 722
Tel.: 4312.8275

Mandrake
Carlos Calvo 1631
Tel.: 4304.1706
Café concert de magia.

Museo Rock
Pasaje San Lorenzo 356
Tel.: 4361.6407

Rosh
Cabrera 3046
Tel.: 4963.2521
Sólo mujeres.

Sahara Continent
Junín 1735
Tel.: 4801.7544

Sarajevo Bar
Defensa 827
Tel.: 4361.1160

World Sport Café
Junín 1745
Tel.: 4807.3800

Juegos de Salón

Los 36 Billares
Avda. de Mayo 1265
Tel.: 4382.7484
Billares, dominó, ajedrez, cartas.

Paloko
Avda. Cabildo 450 (Palermo)
Tel.: 4771.6025
Bowling profesional.

Bingo Lavalle
Lavalle 848
Tel.: 4322.3338
Salón de bingo (lotería).

Paseos turísticos

City tour

Recorrido panorámico por los principales lugares turísticos de la ciudad y alrededores. Paseos diurnos y Buenos Aires de noche.

Buenos Aires Tour
Tel.: 4371.2304

Buenos Aires Visión
Tel.: 4394.2986

Travel Line
Tel.: 4393.9000

Paseos y excursiones

Dirección de Turismo de la Ciudad
Tel.: 4372.3612
Programa semanal de paseos a pie.

Oficina de Turismo de Tigre
Tel.: 4512.4497 / 4512.4498
Para visitar el Delta en lanchas de pasajeros y barcos panorámicos.

Mateos
Paseos por el parque de Palermo.
Sábados y domingos, salidas desde Plaza Italia, frente al Zoológico.

Barco Mississippi River
Avda. Antártida Argentina s/n (Dársena Norte)
Tel.: 4314.2720
Paseo con cena y baile a bordo.

Tranvía histórico
Tel.: 4372.0476
Sábados y domingos, salidas desde Emilio Mitre 550 (Caballito).

Tren del Ferroclub Argentino
Tel.: 4373.7020
Tren histórico y día de campo.

Buquebús
Tel.: 4316.6550
Paquetes turísticos al Uruguay.

Cacciola
Tel.:4749.0931
Barcos a Isla Martín García; lanchas a Carmelo (Uruguay).

Bahía de Sueños
Tel.: 4328.7158
Vuelos a Isla Martín García.

Plazas y ferias

Caminito
Avda. Pedro de Mendoza y Pasaje Caminito (La Boca)
Sábados y domingos, 10.00-18.00
Feria de pintores barriales.

Estación Barrancas
(Tren de la Costa)
Tel.: 4732.6300
Sábados y domingos, 10.00-19.00.
Artesanías y objetos en desuso.

La Recoleta
Avda. del Libertador y Avda. Pueyrredón
Sábados y domingos, 10.00-20.00.
Artesanías urbanas de alta calidad.

Mataderos
Lisandro de la Torre y Avda. de los Corrales (barrio de Mataderos)
Domingos, de abril a diciembre.
Artesanías; comidas tradicionales; juegos de destreza gauchesca.

Parque Rivadavia
Avda. Rivadavia al 4700
Domingos, 10.00-16.00
Libros, revistas, discos, sellos y tarjetas postales, monedas.

Plaza Dorrego
Defensa y Humberto I (San Telmo)
Domingos, 9.00-17.00
Antigüedades y objetos viejos.

Puerto de Frutos
Sarmiento 160 (Tigre)
Tel.: 4512.4493
Sábados y domingos, 10.00-18.00
Productos del Delta y artesanías.

San Isidro
Frente a la Catedral de San Isidro.
Domingos, 10.00-18.00.
Artesanías urbanas.

Alquiler de bicicletas

Velódromo Nuevo Circuito KDT
Salguero 3450 (Avda.Costanera Norte)
Tel.: 4802.2619
Martes a domingos, 9.00-18.00 (con documento personal).

Bicisenda Tren de la Costa
Estación Barrancas
Tel.: 4732.6000
Únicamente sábados y domingos.

Turismo de campo

Red Argentina de Turismo Rural
Tel.: 4328.0499

Abriendo Tranqueras
Tel.: 4783.5720 Fax: 4787.5175

Comarcas
Tel./Fax: 4826.1130

Ocio y actividades

▸ ***Hotelería Resort de Estancias***
Tel.: 4794.8200 Fax: 4794.8964
▸ ***José De Santis***
Tel.: 4342.8417 Fax: 4343.9568

Deportes y piscinas

● Golf

▸ ***Campo de Golf de la Ciudad de Buenos Aires***
Avda. E. Tornquist 6397
(Parque de Palermo)
Tel.: 4772.7261

● Patinaje sobre hielo

▸ ***My Way***
Avda. Cabildo 20 (Palermo)
Tel.: 4771.7690

● Piscinas y spa

▸ ***Coconor***
Avda. Costanera Norte y La Pampa.
Tel.: 4781.4402
Piscinas junto al río. Tenis, paddle. Para ver y ser visto.
▸ ***Colmegna***
Sarmiento 839
Tel.: 4326.1040
Piscina cubierta, spa, gimnasio.
▸ ***Club de Amigos***
Avda. Figueroa Alcorta 3885
Tel.: 4801.1213
Piscinas abiertas y climatizadas; deportes. Ambiente familiar.
▸ ***Hotel Castelar***
Avenida de Mayo 1152
Tel.: 4383.5000
Baños turcos.
▸ ***I'Marangatú***
Río San Antonio (Delta del Paraná)
Tel.: 4728.0203
A 45 minutos de lancha desde Tigre.
Piscina y alojamiento.
▸ ***Marriott Plaza Hotel***
Florida 1005
Tel.: 4318.3000
▸ ***Parque Norte***
Avda. Cantilo y Avda. Güiraldes
Tel.: 4787.1382
Piscinas, arboleda, deportes; ambiente más popular.
▸ ***Punta Carrasco***
Avda. Costanera Norte y Avda. Sarmiento
Tel.: 4807.1010
Piscinas y solario junto al río; tenis, paddle.
▸ ***Sheraton Hotel***
San Martín 1225 (Retiro)
Tel.: 4318.9309
Piscina y spa.

Espectáculos deportivos

● Fútbol

▸ ***Club Boca Juniors***
Brandsen 805 (La Boca)
Tel.: 4362.2050
▸ ***Club River Plate***
Avda. Figueroa Alcorta 7595 (Núñez)
Tel.: 4788.1200

● Carreras de caballos

▸ ***Hipódromo Argentino***
Avda. del Libertador 4101 (Palermo)
Tel.: 4777.9009
▸ ***Hipódromo de San Isidro***
Avda. Márquez 504 (San Isidro)
Tel.: 4743.4011

● Polo

▸ ***Campo Argentino de Polo***
Avda. del Libertador y Dorrego (Palermo)
Tel.: 4774.4517

● Pato

Deporte argentino, mezcla de polo y basquet. Se disputan diferentes torneos entre marzo y diciembre.

Federación Argentina de Pato
Tel.: 4331.0222.

Consejos por edades

Niños

Aeroparque
Avda. Costanera Norte s/n
Despegue y aterrizaje de aviones.

Cambio de Guardia de Honor
Balcarce 50 (Casa Rosada)
Tel.: 4344.3600
Lunes a domingos, 7.00-18.00

Jardín Japonés
Avda. Casares y Avda. Figueroa Alcorta
Tel.: 4804.9141
En el lago de Palermo se alquilan botes. En el Paseo de la Infanta funciona una pintoresca calesita.

Jardín Zoológico
Avda .Las Heras y Avda. Sarmiento
Tel.: 4806.7412

Museo del Títere
Piedras 905 (San Telmo)
Tel.: 4802.4785

Museo de Ciencias Naturales
Avda. Ángel Gallardo 490 (Almagro)
Tel.: 4982.0306
Animales prehistóricos.

Museo de los Niños Abasto
Avda. Corrientes 3247
Tel.: 4861.2325

Museo Participativo de Ciencias
Junín 1930 (La Recoleta)
Tel.: 4806.3456

Parque de la Costa
Estación Delta (Tren de la Costa)
Tel.: 4732.6300

Planetario Galileo Galilei
Avda. Sarmiento y Belisario Roldán
Tel.: 4771.6629
Astronomía didáctica.

República de los Niños
Camino Gral.Belgrano km 58.5, Gonnet (camino a La Plata)
Tel.: (0221) 484.0194
Una ciudad a escala infantil.

Tercera edad

Los clubes de jubilados organizan excursiones con actividades.

PAMI Oficina cultural
Perú 169, piso 3
Tel.: 4344.8500

Ferias y eventos

Feria Internacional del Libro
Tel: 4374.3288
Segunda quincena de abril.
Una inmensa librería de novedades, ofertas y contactos literarios.

Arte BA
Tel.: 4373.0928
Segunda quincena de mayo.
Galerías de arte nacionales, extranjeras y casas de remates exponen y venden obras de calidad pertenecientes a artistas consagrados y figuras emergentes (pintura y escultura).

Exposición Rural
Tel.: 4324.4700
Feria de agricultura, ganadería e industria. Fin de julio a mitad de agosto, en el Predio Ferial de Palermo

Fiesta Nacional de la Flor
Tel.: (03488) 43.0550
Última semana de setiembre y primera quincena de octubre, en la Ciudad Floral de Escobar (60 km). Productores de flores y plantas ornamentales exponen sus productos.

Casa FOA
Tel.: 4814.0517
Octubre o noviembre.
Diseñadores y arquitectos decoran con estilos diferentes sectores de un edificio notable, distinto cada año, a beneficio de la Fundación Oftalmológica Argentina.

Buenos Aires

En este índice, la cursiva se ha utilizado para los Datos Básicos *y la* Guía Práctica**.** *Los monumentos y lugares con reseña del capítulo* Esencial *aparecen reflejados en negrita.*